S0-BKP-682

Егор Радов

РАССКАЗЫ ПРО ВСЁ

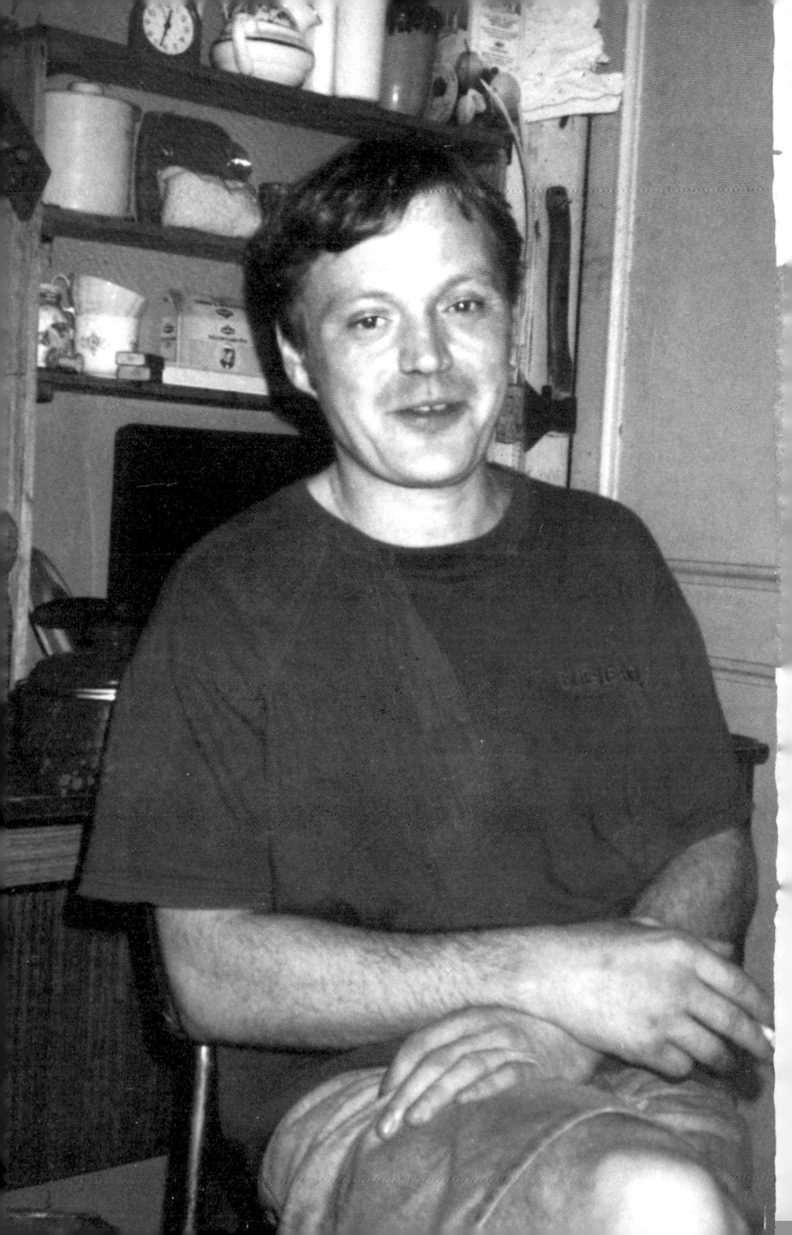

Егор Радов

РАССКАЗЫ ПРО ВСЁ

Москва

ПЯТАЯ СТРАНА

ГИЛЕЯ

2000

Художественное оформление
Андрея Бондаренко

Радов Е.

Рассказы про всё.— М.: Пятая страна; Гилея, 2000.— 415 с.

Рассказы Егора Радова (род. 1962), одного из культовых современных писателей, автора романов «Змеесос», «Якутия», «Бескрайняя плоть» и др., в этом издании представлены наиболее полно. В книгу также вошли повести «Мальчики» и «69».

ISBN 5-901250-02-8

СОДЕРЖАНИЕ

НЕ ВЫНИМАЯ ИЗО РТА

МАЛЬЧИКИ

ЗАЕЛДЫЗ

69

Я ХОЧУ СТАТЬ ЮКАГИРОМ

НИКТО НЕ ЛЮБИТ НАС, НАРКОМАНОВ

ДНЕВНИК КЛОНА

НЕ ВЫНИМАЯ ИЗО РТА

Я И МОРЖИХА

Устав от беспутного одиночества и неудовлетворённых страстей, я женился, и, кажется, вышло довольно удачно. Невозможно же всю жизнь жить одному, можно умереть со скуки, но, с другой стороны, женщины страшно отталкивают своими вечными претензиями, своей плохо скрываемой глупостью и назойливым стремлением казаться прекрасными и талантливыми. И всё же я женился и не жалуюсь, напротив, я очень рад. Мне даже кажется, что я достиг идеала в супружестве и моя жизнь представляет из себя полную идиллию. Вначале были некоторые неполадки, но теперь — всё отлично.

Моя жена — моржиха из Московского зоопарка, я украл её оттуда и взял на содержание. Мы живём вместе уже целый год, и я ещё никогда не был так счастлив. Как только я увидел её в зоопарке, когда она вылезла на берег из грязного прудика, где она до этого бултыхалась, я сразу же понял, что здесь я найду свою судьбу. На её мощных усах застыли капли воды, клыков почти не было, как у девочки: она отфыркивалась и хрипела, коричнево-розовая кожа лоснилась, сминаясь в складки, и слегка колыхалась от толстого жирового слоя. Она перевернулась на спину, зевнула, как-то хрюкнула и раздвинула нижние ласты, устроив мне такой стриптиз, который мне ещё не приходилось видеть. И я понял, что я погиб, я чуть не умер от страшного желания, а она, словно разгадав мои мысли, перевернулась обратно на живот и нырнула опять в свой вонючий грязный прудик с мелкими льдинами.

Я влюбился в неё, я не мог спать, не мог ничего читать, писать, ни о чём думать. Наконец я решился и украл её. Но когда я привёз её домой, мне стало ясно, что поместить её некуда. Она лежала посреди моей квартиры на ковре, воняла чем-то липким и гнусным и жалобно кричала.

— Успокойся, моя милая,— сказал я ей,— не надо кричать, любимая...

И тут она обгадила мой ковёр, а потом облегчённо поползла куда-то вперёд. Я решил уложить её в ванну, но она не умещалась в ванне. Тогда я взгромоздил её на кровать. Поскольку наш брак ещё не был заключён, я не стал приставать с гнусными предложениями, а закрыл дверь и ушёл спать в другую комнату, хотя всем сердцем был с ней. Посреди ночи раздался страшный вопль. Я сразу проснулся и побежал туда, где была моя любовь.

Она лежала на кровати, задрав ласты. Из её рта сочилась какая-то вонючая слюна или сопля, усы нервно дрожали. Она тряслась, словно пытаясь извиваться, и орала.

— Послушай,— строго сказал я ей,— если ты так будешь орать, то я ещё подумаю, брать ли тебя замуж. Да, я люблю тебя, но что значит любовь в наши дни? Да, ты глупа, как пробка, это хорошо; да, ты не вставишь мне лишнего слова, но зачем же так орать? Мне нужна жена, чтобы она вообще рта не раскрывала, понятно?

Но моржиха не слушала моей тирады, продолжая кричать так, что я уже подумал, не сбегутся ли соседи, особенно секретарь горкома, живущий надо мной. И я понял, что придётся ей вырезать голосовые связки, иначе она будет орать всё время, а такая жена мне не нужна. Мне нужна жена, молчащая как рыба. Я бы, может быть, женился на рыбе, но с ней почти невозможно жить половой жизнью.

В дни моей молодости я увлекался всякими врачебными штучками: курил марихуану, колол морфий и тому подобное,— и я решил провести операцию сам. Но я не живодёр, я решил усыпить мою моржиху — спи, красавица!..

— Потерпи, моя хорошая, моя родная,— говорил я ей, наклоняясь со шприцем в руке, — сейчас укусит комарик, и всё.

Но оказалось, что на комаров ей глубоко наплевать, и все эти уколы её не волнуют. Мой шприц еле-еле продырявил толстую кожу и увяз в слое жира. Моржиха на это никак не отреагировала, только слабо, невыразительно рявкнула.

Я попробовал шприц для лошади, но и он был слишком короток, чтобы пройти сквозь кожу и этот проклятый жировой слой, а я считаю, что вводить лекарство надо исключительно в плоть. И тогда я взял шприц для лошади и засунул его иглою ей в горло. Моржиха взвизгнула от боли и страха и бешено дёрнулась, проколов себе нёбо. Я сразу же нажал на шприц и, двинув ей лошадиную дозу сильнейшего снотворного с новокаином, выдернул его.

Ответом мне был фонтанчик крови изо рта моей ненаглядной. Она посмотрела толстыми выпученными глазами на свою кровь, которая сочилась сейчас, словно молоко из перевёрнутой детской бутылочки с соской, напряжённо вздохнула и затем резко выдохнула воздух, успокоенно замерев. Я понял, что она обгадила мне всю постель. Но ради моей любви я был готов на любые жертвы.

Когда она окончательно заснула, я вырезал ей ко всем чертям голосовые связки, но оставил язык, дабы она могла нормально есть и глотать. Затем я наложил швы, остановил кровотечение, вмазал ей морфия, чтобы она ловила кайф, и привязал её к кровати.

— Бедная ты моя, бедная,— сказал я, склонившись над ней. Я чуть не расплакался, увидев её, всю исполосованную скальпелем и в бинтах. Я даже на мгновение засомневался, люблю ли я её, но потом я отринул сомнения.

— Спи, моя радость, усни,— жалостливо проговорил я и ушёл к себе.

Рана заживала почти неделю, но всё это время моржиха вела себя тихо и спокойно, потому что я избавил её от нужды кричать. Только иногда она напрягалась, как будто ей пучило живот, пытаясь издать хоть какой-то звук, но потом, понимая, что это невозможно, она замолкала. И наконец этот ужасный рефлекс — говорить — исчез и больше не появлялся.

И когда я снял с неё швы, я решил оформить наш брак. Я изготовил свидетельство и однажды утром, купив бутылку шампанского и пару золотых колец, явился к моей возлюбленной. Тут я вспомнил, что нужно свадебное платье, иначе что же это за свадьба? Я купил его, пришел домой и стал тут же надевать на свою милую. Моржиха сипела от негодования, но ничего не могла сказать. Я напялил на неё фату, накрасил ей усы, так, что они из грязно-белых превратились в красные, отошёл на пять шагов и, посмотрев на неё, восхитился ею. Ну и жену я отхватил себе! Толстая, дородная, ничего не говорит, сексуальная, в общем, красота.

И я торжественно объявил:

— Хотите ли вы выйти за меня замуж?

Но она молчала, выпучив на меня огромные, как у бегемота, глаза.

— Я думаю, вы согласны? Тогда подпишитесь вот здесь.

Я подал ей бумагу, но она отмахнула её своей ластой. На бумаге появился перистый отпечаток.

— Ну вот и всё,— удовлетворенно проговорил я, подписался тоже и надел на палец кольцо. Затем я нацепил кольцо на один коготь моржихиной ласты.

Но она дёрнулась так, что порвала платье.

— Ну зачем же это? — укоризненно проговорил я.— Теперь мы — муж и жена. Надо поцеловаться.

И я с вожделением прикоснулся к её усатому рту, схватившись руками за клыки.

Усы больно кольнули меня, но этот поцелуй любви всё равно опьянил меня, словно волшебный сок.

Я открыл ей пасть и влил туда шампанского. Потом я выпил сам.

— А теперь нам пора идти опочивать,— сказал я.

Я задернул шторы и стал её раздевать. Я медленно расстёгивал ей платье. Она помогала мне судорожными движениями своих ласт. Я снял с неё фату.

О, моя любовь! О, светлый миг!

Голую и розовую я положил её на кровать. Она уставилась на меня непонимающе. Тогда я разделся сам и залез к ней. Я набросил на нас одеяло.

И я добился её!

Не могу сказать, что она страстная и опытная, но я также не могу сказать, что она — девственница. Меня это сильно возмутило: кто мог быть с ней до меня?! Зачастую у меня было ощущение, что со мной лежит бревно, а иногда мне казалось, что я утону в ней. И всё же я был счастлив.

И как было прекрасно, когда я ушёл в свою комнату, оставив её лежать и засыпать в одиночестве,— она не сказала мне ни слова, никаких дурацких женских требований, признаний и всяких тому подобных вещей, которые мешают нормальному сну и вызывают отвращение. Я заснул, как ангел, и проснулся на следующее утро в блестящем расположении духа.

Я покормил её рыбой, позавтракал и ушёл гулять.

Вот так я и живу с моржихой уже около года. Я счастлив, как никто другой. Дни проходят, а я не устаю радоваться своему правильному решению. Недавно один друг сделал мне в холле небольшой резиновый бассейн, я налил туда воды и запустил мою дражайшую половину. Когда я ничем другим не занят, я влезаю туда и плаваю с ней туда-сюда, туда-сюда... Потом мы занимаемся любовью. Один раз она меня, правда, приняла за какого-то хищника и начала кусаться. Но затем её агрессивность прошла и сменилась восхитительной нежностью.

Она не скажет ни слова, никогда не нарушает мой покой: когда я хочу её — я получаю её, когда не хочу — я посылаю её подальше. Я могу говорить ей всё что угодно, она же не поймёт, она же глупая, как пробка, и этим мне нравится всё больше и больше. Когда я хочу выпить, я напиваюсь, и ей это всё равно. Когда я хочу изменить ей, я привожу к себе домой пару проституток с улицы, и она даже этого не замечает. Хочу любить — люблю, хочу ненавидеть — ненавижу. Я не даю ей денег, она не заставляет меня делать карьеру, она просто живёт и молчит. Плавает в своём бассейне, и для неё в этом мире всё прекрасно. И для меня тоже.

И неужели кто-нибудь думает, что наш брак — не самый лучший и что существует более скромная, более приятная и более удобная жена, чем моя?

1980

ИСТОЧНИК ЗАРАЗЫ

Я проснулся от солнца, повергшего моё тело под простынёй в жаркое и потное состояние. Я вспомнил какие-то стихи и побежал на кухню принимать лекарства. Вводя себе в вену чудный раствор песцилина — препарата, изготовляемого из слюнных желез песцов,— я ощутил прилив бодрости и веселья в своих больных членах. Сегодня должен был быть счастливый день: наша компания, состоящая из друзей и подруг, решилась развлечься немного; и я тоже был приглашён на вечеринку, собирающуюся у Марка, и предвкушал последневный разврат с чувством глубочайшего освобождения от окружающего постылого мира.

Промыв свой замечательный шприц, который я выиграл недавно в лотерею, я бережно погладил его и положил на специальную полочку. Затем я выпил ещё пару таблеток какого-то нового средства, чтобы оттянуть смерть, повисшую надо мной, и пошёл умываться.

В ванне мне стало смешно почему-то. Очевидно, таблетки, название которых я так и не посмотрел, обладали приятным побочным действием. Всё же я намылился и даже, после всего, употребил дезодорант, который, помимо запаха, обладал ещё свойством прижигать разные мелкие гнойнички и язвочки, выступившие на теле поутру, поскольку я не сторонник вставать ночью и принимать что-нибудь, заглушающее их образование.

После всего можно было покурить немного,— и я так и сделал, восхитившись неизменной сущности личной сигареты в руках, которая стерильна и сокращает жизнь всего лишь на три минуты. О, сигарета, сигарета! Если б люди только курили и пьянствовали, забыв о приятных дамах и любимом потомстве! Может быть, весь мир был бы здоров и весел сейчас! Не то ли предлагал и Толстой, считавший, что лучше спокойно умереть старенький импотентом, чем прожигать безрадостную жизнь в качестве вечно озабоченного больного. Не зря лучшие его последователи, имея твёрдый дух, не раздумывая долго, отрезали себе свой вредный и заразный придаток!

Но люди оказались глухи, тем более что опасались лишиться вместе с детьми и общечеловеческого будущего, хотя я думаю, если б знали они, что за будущее ждёт их сыновей и дочерей, то испытали бы неприятный позор и стыд и, наверное, просто бы вымерли по-тихому, завершив доблестную людскую историю достойным образом.

И я горжусь тем, что именно русская литература оказалась на высоте в данном вопросе! Онегин, отсылающий Татьяну, Печорин, не пожелавший почему-то овладеть княжной Мери, и прочие возлюбленные персонажи, из которых Павел Власов займёт не последнее место,— все били в набат, в то время как гнусный Запад напряжённо болел сифилисом и гонореей и, несмотря на это, продолжал воспевать блеск всяких куртизанок и милых друзей.

Все эти размышления можно продолжать вечно, и я совсем расстроился, ощутив совестливые мысли в своих мозгах. Тем не менее сейчас нам остался только лишь добросовестный разврат, да и то урезанный донельзя в силу множественности смертельных недугов, и поэтому, скрипя зубами и проклиная всё на свете, придётся заниматься именно им, а совсем не желанной жизнью в семье или у станка.

Я подошёл к столу и выпил стакан вина, чтобы не думать больше о судьбах всего человечества. В конце концов, поскольку я являюсь личностью, я имею право на личную жизнь и готов иногда перестать думать о народе, а подумать, возможно, и о себе самом, тем более что очень люблю свою умную душу.

Я надел респиратор и герметический комбинезон, сохраняя под ним свой праздничный вечериночный вид, состоящий из яркой рубашки и банта вместе с короткими зелёными штанами, и вышел на улицу. Вечером необходимо надевать полный комплект предохраняющей одежды, так как злые бактерии, погибающие от миролюбивого солнечного света, страшно активизируются во тьме. В общем, вероятность заражения на улице была бесконечно малой, но я не собирался платить милиционерам штраф за несоблюдение правил безопасности и вообще не хотел вступать с ними в разговоры, поскольку вечеринки были запрещены специальным указом радеющего о здоровье правительства, хотя все жители и даже менты не могли никак перестать заниматься этим единственно приятным делом в жизни. Туго застёгнутый на молнии, я шёл мимо плакатов, призывающих использовать новую модель презервативов, которые надеваются на всё тело и являются просто неким тонким комбинезоном, а также мимо навязшего в зубах и глазах изречения, написанного почти везде и гласящего: «Свежий воздух — источник заразы». Не знаю, насколько это так. Например, мой друг Марк, к кому я направлялся в гости, никогда не использовал презервативы и противогазы, общаясь с женщинами, и постоянно вдыхал свежий воздух, совершенно не пугаясь новых болезней, но, возможно, ему уже наплевать, так как он, наверное, имеет полный набор всего, что настигло человечество в последнее время. Однако он был всегда бодрым и свежим: и некоторые дамы пугались одного только его вида, его мрачных глаз и незащищённых участков тела. И мы тоже немного боимся его и ждём его смерти, которая, по нашим подсчётам, уже должна была наступить, но почему-то задерживается, словно уважает его презрение к своей женской особе.

Я шёл и вдруг почувствовал озноб — это просто приступ достаточно лёгкой болезни волосянки, которая совершенно безвредна и выражается только в периодических ознобах, а иногда переходит в насморк. Заражение ею происходит от контакта волос, поэтому некоторые, особенно люди старшего поколения, бреются наголо, если они еще не лысы, или же носят парик, поскольку им очередной приступ волосянки добавляет лишнюю неприятную секунду в и без того безрадостное существование.

Озноб прошёл, и я продолжал свой путь. Обходя алчущих и страждущих жителей, которые просили что-нибудь съестное, я вошёл в винный магазин. Продавец вежливо повернул ко мне свою противогазную голову. Я вытащил из сумки три месячных талона на водку и протянул ему. Он кивнул, выставляя бутылки, потом снял противогаз, продемонстрировав задёрганное и насмешливое усатое лицо.

— У нас всё чисто,— сказал он мне.—Хотя вы слыхали о случаях заболевания копцом — новой болезнью, завезённой из Польши? Заражаются прямо в домах, бактерии, как тараканы, проникают во все поры...

— Копец? — переспросил я, сняв свой респиратор.

— Да, копец. Заражение через воздух, смерть через два года. Завёз какой-то еврей, его четвертовали вчера на площади Победы. Больных-то всех усыпили, но кто знает...

— Да всё уже едино! — отмахнулся я.— А вы чем болеете?

— У меня клей в крови и СПИД.

— Тогда вам, конечно, есть чего бояться: лет пять-десять вы можете протянуть, если всё будет нормально.

Продавец заулыбался, потом спросил:

— А что у вас?

И я, сделав страшное лицо, ответил:

— Да у меня ничего не было, а сейчас вот почему-то чешется левая ягодица.

Продавец резко помрачнел.

— Да это же копец и есть! — заорал он на меня, быстро надевая противогаз и выталкивая меня вон.

— Стоять! — крикнул я ему, показав, что при совместной борьбе обязательно заражу его, дунув ему в лицо. Продавец застыл в жалобной позе. Я подошёл к двери, усмехнулся и сказал:

— Не волнуйтесь, я пошутил, у меня тоже СПИД.

Продавец недоверчиво снял противогаз, но потом, задумавшись, вынул револьвер.

— А ну-ка,— сказал он,— убирайся! Шутник нашёлся...

Я вышел, помахав ему ручкой. Так я развлекался иногда, когда у меня бывало грустное настроение. Но сейчас мне не стало особенно весело, потому что он был прав, а я вёл себя, как школьник, который только-только начал проходить венерические болезни.

И я шёл дальше, позвякивая водкой, как прокажённый, предупреждающий о своём нездоровье. В конце концов можно наплевать на всё, и меня ждёт вечеринка в конце пути, и возлюбленные друзья, хотя и сократят мою жизнь ещё на какие-то месяцы или годы, внесут внутрь меня радость быть лёгким, словно в золотой каменный век, когда волосатый человек, почувствовав недомогание, никак не мог понять, в силу своего узколобия, что оно означает гнусную и опасную болезнь, а продолжал, как ни в чём не бывало, вести свою суровую и насыщенную жизнь, полную удовольствий и приключений, и погибал в конце концов в когтях саблезубого тигра или от клыков мамонта, как настоящий мужчина.

И я наконец очутился перед дверью в квартиру Марка, за которой уже слышались радостные покрикивания. Дверь открыл Марк, он был одет в плавки, и его мощные бицепсы мужественно посверкивали в свете коридорной лампочки.

— Привет! — весело крикнул Марк, когда я снял респиратор.— Присоединяйся к нам! У нас сегодня сюрприз: абсолютно чистая девочка!

Я увидел человеческую фигуру в комбинезоне, стоявшую в центре недоверчиво осматривающих её людей.

— Не может быть...— сказал я.

— Может! — закричал Марк, выпив шампанского.— Она — девственница, желающая выйти замуж. Она ищет абсолютно чистого мальчика! Это не ты, случайно?

— Нет, что ты,— смущённо сказал я.— Ты же знаешь, что у меня кобелит.

Кобелит — гнусное заболевание, распространяемое любителями собак и кошек; я был заражён им при первом поцелуе со школьной подругой, в которую был тогда влюблён.

— А, кобелит...— сказал Марк, выпив коньяку,— это не так страшно. Лет десять у тебя есть?

— Как раз десять лет.

— Я думаю, ей большего и не надо... Правда?

Я услышал небесный голос чистого создания, которое непонятно почему оказалось в нашей гнилой развратной компании:

— Нет, только всю жизнь, и умереть в один день!

— Ну уж умереть в один день — это не так сложно, если ты заболеешь кобелитом, как и любимый муж...— закричал Марк, подпрыгивая.— Решайся, ненаглядная!

Я прошёл в комнату с намерением выпить чего-нибудь. Настроение мое испортилось, но тут я ощутил сильный удар в спину.

Я обернулся, это был Марк.

— Куда же ты,— сказал он.— Сейчас мы посмотрим на нее. Я привёз специальную герметическую камеру из стекла, и она, находясь в ней, будет взирать на нас, как Мадонна, благословляя наши грехи!

Он выпил водки, я вернулся. Фигура в комбинезоне вошла в камеру и сняла противогаз.

Признаться, я думал, что она будет красивей. Ей было года двадцать два, и неумолимые прыщи — спутники девственности — сильно портили не такое уж миловидное лицо. Но я увидел румянец — это был румянец здоровья,— и этого было достаточно, чтобы возжелать её, тем более что нельзя было ничего с ней делать: и она сняла свой комбинезон и стояла в красивом платье, и мы все — даже наши больные дамы — ласкали её своими страстными взглядами, словно надеясь на что-то.

Она действительно стояла в своей камере, как в райском облаке, и я уже почти не замечал этих прыщей и лошадиного носа — ведь, возможно, и сама Мадонна выглядела не лучшим образом, а её возжелал сам Господь!

— Нет уж, подружка, — раздался голос Марка, — раздевайся до конца, чтобы полностью смутить нас!

— Что вы!..— возмущённо крикнула из камеры чистая девочка.

— Давай, давай, а то мы начнём тебя заражать...

— Я заявлю на вас! — заплакала она.— Вас всех расстреляют!

— Нам всё равно,— пусто сказал Николай.

— Я могу тебе помочь,— сказала Ксения, гнусно хихикнув. Девочка залилась слезами.

Но выхода не было. Она огляделась по сторонам, словно проверяя, что её никто не видит, и стала снимать платье через голову. Под платьем были трусы и лифчик.

И тут какой-то Петров с почти уже провалившимися ушами из-за третьей стадии триховонита, грозно встал перед нами и закричал:

— Уйдите все отсюда, гнусные люди! Я буду защищать её до последнего, даже если мне придётся подцепить копец!

— Что это с ним? — недоумённо спросил Марк.

— Чем ты нам угрожаешь? — пискляво завопила Ксения.— Свой триховонит можешь засунуть себе в задницу, он никого не пугает. А приятного зрелища мы из-за тебя не лишимся. Я восемь лет не видала голой девственницы. Так что проваливай, безухий кретин!

Петров озирался, как будто его затравили. И тут, увидев у стены полуразвалившегося Ивана Ильича, который болел всем, он подскочил к нему и страстно стал целовать гнойные губы. Потом, не ограничиваясь этим, Петров разорвал штаны довольного Ивана Ильича и несколько раз лизнул остатки мужского члена, распространявшего мерзкий запах.

— Вот так вот! — победительно крикнул Петров.— Кто на меня?!

Петров постоял ещё с минуту в полной тишине, потом вдруг рухнул, повернулся и умер.

— Козёл, — сказал Марк, — он забыл, что при сочетании вирусов триховонита и пердянницы, например, наступает мгновенная смерть. Уберите его куда-нибудь.

Иван Ильич встал, проливая слезы, и пошел выбрасывать труп в трупопровод, который находился на лестничной клетке.

— Ну всё,— удовлетворённо сказал Марк. — А теперь раздевайся, милая! И иди к нам.

— Я не могу к вам,— с ужасом сказала девочка,— свежий воздух — источник заразы.

— Ладно, фиг с тобой, стой там.

Девочка разделась. Её тело ничем особенным не отличалось от тел наших дам, поэтому, поглазев немножко на неё, мы пошли в другую комнату.

Марк налил всем шампанского.

— А сейчас мы приступим. Но прежде всего надо сделать анализы и разбиться на пары.

Он сел и вытащил внутривенную иглу.

— Кто первый?

Мы встали в очередь. Марк брал у всех кровь, мгновенно делая пробы; его щёки начинали румяно лосниться, когда он получал результат. Он выкрикивал названия болезней, и гости разбивались на пары — всё это делалось для того, чтобы к уже имеющимся заболеваниям не прибавить новых, а тем более, чтобы не помереть так глупо, как это сделал Петров, вообразивший себя прогнившим Дон Кихотом.

Когда очередь дошла до меня, Марк сообщил:

— Кобелит! Кто желает? Делайте ваши ставки! Никто не желает? Что, ни у кого нет кобелита?

— У меня есть,— сказала гениальная девушка, скромно сидящая в уголке,— но у меня есть ещё и пердянница, поэтому я не знаю...

— Как ты насчёт пердянницы, старик? — спросил меня Марк, глядя в мои глаза.

Я отошёл от него, раздосадованный. Последнее время мне не везло, потому что, хотя кобелит — распространённое заболевание, он редко встречается в единственном числе, и хотя говорят, что свежий воздух — источник заразы, у меня никак не получалось заболеть чем-нибудь ещё, а заражаться специально для того, чтобы иметь больше женщин, не хватало духа. Посмотрим, если её не возьмёт какой-нибудь счастливчик, совпадающий с ней, может, я и решусь — уж больно хороша, несмотря на пердянницу, которая в третьей стадии добавляет человеку характерный нестерпимый запах.

И я стоял у стены, поглядывая на гениальную девушку, а она долго смотрела прямо в мой взгляд. Потом эта жеребьёвка была окончена, пары определились, и какой-то долговязый юноша с красными глазами робко, но уверенно встал возле гениальной девушки. Всё кончено: она будет сегодня с ним.

Проклиная свою несчастную судьбу, я подошёл к столу и выпил шампанского, желая хотя бы напиться в этот вечер. Марк включил музыку, и мы стали танцевать. Я танцевал только быстрые танцы, а когда танец был медленным и склонным к обниманию друг друга, я валился на стул рядом с Марком и смотрел на весёлых дам и кавалеров с чувством глубокого неудовлетворения.

— А ты сегодня будешь с кем, Марк? — спросил я.

— Не знаю. Мне всё равно. В каждой женщине есть своя прелесть и своя болезнь.

— Как ты ещё жив? Ты же даже по улице ходишь без всего!

— Не знаю,— отвечал Марк,— мне наплевать. Может быть, так, наоборот, лучше.

Он пошёл в комнату к чистой девочке. Она сидела внутри своей камеры, прижавшись к её стеклянному углу, и излучала надежду и скуку.

— Скучаешь? — спросил её Марк. Я подошёл, встал рядом и наблюдал их разговор, попивая водку.

— Да,— призналась девочка.

— Пошли со мной.

— Нет, что ты!..

— Я незаразный,— гордо объявил Марк.

— Как это так?

— Не знаю. Но это так. Хочешь, я приду к тебе,— Марк отворил дверь в камеру,— хочешь, я буду ласкать тебя, хочешь, я буду с тобой? Я чист, как и ты; и ты будешь моей жрицей, ибо чёрное не причинит белому вреда, и мы будем с тобой как «да» и «нет» — в вечной любви и безопасности?!

Девочка жалась в угол камеры, Марк наступал.

— Я уверяю тебя, что я чист. Ты мне нравишься, мне нравятся твои плечи и грудь...— Он коснулся её.

— Аааа! — заорала девочка и рухнула в объятия Марка. Я грустно лицезрел характерную для Марка сцену. Потом я отвернулся, чтобы не наблюдать его полный триумф.

Я вошёл в другую комнату и выпил большой стакан водки. Всё было уже почти тихо: пары разбрелись по местам обоюдных удовольствий, и магическая ночь пронизывала заразный воздух за окном.

Я сел в кресло и настроился на грустно-лирический лад. И тут мягкая рука обхватила моё плечо. Я посмотрел и увидел гениальную девушку, сидящую рядом.

— Я люблю тебя,— сказала она.— Пойдём со мной!

— Но ты...

— Я соврала вам всем. Я тоже чиста, и у меня почти нет никаких болезней. Ты мне не веришь?

— Но ведь я... Ведь у меня... Ведь у меня кобелит!

— Мне всё равно. Я влюбилась в тебя — и мне всё равно.

Я пытался вспомнить её анализ, но не мог; её рука ласкала меня, и мне это нравилось, и потом, когда она поцеловала мою щёку, мне вдруг тоже стало всё равно, и я подумал, что миг истинной любви может стоить пердянницы и даже конца!

Мы рухнули на пол, раздевая друг друга, и на секунду я забыл о презервативах и противогазах, охраняющих нас от вредных любимых людей, и был готов к заражению чем угодно во имя этой минуты, когда я просто целовал её лоб.

Мы соединили свои половые части, не используя ни резину, ни целлофан, и я впился в её губы, с остервенением желая мгновенной смерти в объятиях моей больной любви. Она стонала, словно боялась своей горькой судьбы, и восторгалась ею; я же был с ней, словно первобытный мужчина, верящий в могущество своих богов и не боящийся мерзкой биологии невидимых глазу существ! И я завершил свой великий любовный акт, как будто собирался иметь от неё детей — бедных уродов с врождёнными болезнями, которые, может быть, будут счастливы только одним лишь лицезрением друг друга, а может, ещё и пожатием своих изъязвлённых рук.

Мы лежали на полу, и абсолютно голый Марк пришёл в нашу комнату.

— Друзья! — кричал он.— Давайте выпьем!

Он посмотрел на меня, подмигнул мне и сказал:

— Поздравляю, друг. С любовницей и с пердянницей!

И я засмеялся, потому что мне стало очень смешно. Наша компания собралась вся вместе, люди были полуодеты и гладили друг друга, несмотря на гнойнички на своих телах.

Марк налил виски, выпил, и в комнату вошла чистая девочка.

Она сияла, прыщи словно испарились.

— Примите её,— сказал Марк,— ибо она очень хороша.

Мы все поцеловали её в щёку и снова стали пить. Марк включил радио. Бесстрастный голос неожиданно проговорил:

Голос по радио: ...повторяем экстренное сообщение. Как уже заявлялось, страна находится под опасностью заражения копцом — страшной болезнью, особенно активной при солнечном свете, от которой наступает смерть через пять минут после заражения. Но последние исследования показали, что вирус копца, попадая в кровь человека, болеющего всеми венерическими болезнями, полностью вылечивает их, после чего сам погибает от свежего воздуха. Свежий воздух больше не является источником заразы! Братья и сёстры! Заражайте друг друга! Открывайте окна! Вылечивайтесь! Нам больше ничего не грозит! Повторяем...

— Ура!!! — закричал Марк.— Я всегда это знал!

Мы сидели, обезумевшие от этих слов. Потом мы подпрыгнули, начали кричать, целоваться и делать всё, что угодно, и Марк стулом разбил наше герметическое окно, чтобы свежий воздух, не являющийся больше источником заразы, проник в наши усталые и больные члены, словно святой дух, излечивая их. Мы плакали и смеялись, делали друг другу непристойные предложения, тут же исполняли их, прыгали и бегали и не могли насладиться своим счастьем. Я обнял свою любовь, и мы стояли у окна и смотрели на прекрасный мир, в котором так вовремя появилась окончательная страшная болезнь, не терпящая ничего иного в человеческой бедной крови и умирающая вкупе со всей остальной дрянью от простой свежести, которой изобилуют природа и жизнь.

Мы стояли и стояли и готовы были вечно стоять у этого окна. Но взошло солнце, преображающее весь мир и вирус своим светом, и тогда нам всем пришёл долгожданный конец.

1987

ИСКУССТВО ЭТО КАЙФ

Мне хочется плакать, когда я листаю зарубежные журналы, посвящённые сексуальной жизни в иноземных краях, которые где-то наверняка располагаются на нашей планете. Мое мальчишеское мужество рыдает в снежную ночь, когда я вижу перед собой лоснящееся бумажное тело, которое возлежит на осыпанном бликами морском берегу, где танцуют кукарачу едва одетые особи «гомо» и когда они открывают свои части тела, переступив через одежду, как через кровь или лимфу. Я всегда вижу в этом победу: когда под сдёрнутыми трусами оказывается именно то, чего ждешь; я вижу в этом строгую гармонию нашего мира, в котором космос победил хаос.

Мне уже почти тринадцать лет, но я хорошо сохранился для этого возраста. Девушки не смотрят мне вослед, поворачивая, словно совы навстречу опасности, свои головы: и мне стыдно быть мальчиком в обществе девушек и женщин, и душа моя рвётся в Париж, где возможна занятная игра в «дочки-матери» и где маленький мальчик может обладать роскошной зрело-женской природой.

Начальник мамы Ильич, с которым она познакомилась в Швеции на приёме по поводу поддержки стран Азии Эфиопией (где также был замечательный член эфиопского комитета Оссеуйле Куйле Жол, которому оттяпали его гордость в девическом возрасте по обычаям здешних мест, но которую ему починили в Японии, в результате чего он осуществил свои многолетние грёзы), сидел у меня на кухне, попивая кофе после душа, и сверкал своими очками, в которых отражался огонёк его западносторонней зажигалки, в то время как я рассматривал порнографический журнал.

— Стариканчик! — сказал он мне, хлебнув кофе.— У нас за это дают сорок лет каторжной тюрьмы!

Я смутился. Я вздрагивал. Я загорался. Я гас.

— Русская шутка! — ухмыльнулся Амилькар Ильич, отбарабанив что-то китайское на своём чемодане.— На самом деле всего лишь — семь, мальчонок, поэтому — живи, ребёнок, смотри, зайчонок! Хорошо, что в Советской стране таких журналов нет!

Я пошёл и плюнул с балкона. Я стоял и думал: «Есть ли жизнь на обратной стороне Земли?» Потом я понял, что это западентально для пионера.

Вечером Ильич и мама пели песню про мороз. Я не знал, украинская ли это, белорусская ли песня, но она мне не нравилась. Я хотел красивых и мягких женщин. Я хотел женщин, которые не общаются и не смеются, а только лишь занимаются любовью — желательно со мной. Я просто хотел женщин. Хотел женщин априори. Женщин, которые женщины, и всё — больше ничего не требуется.

Ильич (разусанив бородку, забивая трубку). Мальчику нужно, уже пора! Ребёнок должен познать уже любовь! Дорогая, ты не задумывалась об этом? Он, наверное, уже занимается онанизмом? В наш век это немудрено. Першинги заслонили собой женскую жопу. Рейган писал, что вырубит всё женское население Союза за пять минут. Тем самым он хочет, чтобы мужчины повесились.

Мамочка. Но ведь это ещё ребёнок! Но ведь это ещё ребёнок! Но ведь это ещё ребёнок! Я не позволю говорить слово «жопа» при детях!

Мы сидели втроем, я пил джин и тоник. Ильич говорил, что в Алжире жарко, в Гренландии холодно. Мама сказала, что Афанасий Салынский стал носить мятый пиджак. У меня случилась эрекция. Я пил коньяк. Ильич снял пиджак, мама застегнула ширинку, я кашлял.

Он появился в среду, принеся мне подарок в огромном ящике. Моя мама была членом Мира и поэтому отсутствовала в Узбекистане. Ящик был завязан красивой ленточкой, я потянул её за конец, и коробка распахнулась, обнажив искусственную японку, которая стояла передо мной в одном белье с вечно соблазнительном лицом. Она была совсем девочка — мне под стать, и её всё-таки женственная фигура задорно приглашала к односторонним занятиям, для которых не нужно ходить в кафе или клянчить плоть на остановках автобуса или метро. Я расцеловал Ильича, почуяв дезодорант на его лошадиных усах. Ильич прослезился, подтянул кепку на макушке и уехал в аэропорт — встречать габонских спортсменов.

Я был один, прыгал по квартире, пускал слюни и уничтожал картон, чтобы узреть наготу века НТР! К женщине прилагалась книжечка, но она была на японском. И я взял, наконец, её тело и медленно понес на своё ложе — она была тёплая, молчаливая и покорная, батарейка была рассчитана на два года: глаза её горели, и она смотрела на меня со всепроникающей любовью. Её нежные ноги прикрывал пеньюар, и я стал медленно раздевать её,— я впервые раздевал женщину,— и она была заранее готова ко всему, она заранее была согласна на мой любой каприз!

— Вот тебе! — громко вскричал я, с размаху ударив её по щеке: я бил в её лице всех девочек, которые плевали мне вслед и смеялись надо мной, издавая всё равно соблазнительный запах дешёвых духов; я бил всех своих будущих любовниц, которых мне придётся бросать, которых мне придётся соблазнять, которые будут плакать в моё плечо перед тем, чтобы сказать очередную глупость возвышенной ночью; я бил в её лице свою будущую жену, которая не сможет исчезать тогда, когда нужно, и появляться тогда, когда я захочу её использовать как любовницу; я бил свою маму, радуясь извращению Эдипова комплекса; и я сразу победил её женскую природу — ведь я должен быть сильным и мужественным: жаль, что получив женщину, я забыл купить хлыст!

Но она не среагировала никак на мой дерзкий шлепок — она всё так же улыбалась мне, будто между нами ничего и не было! Я целую её сухой рот, щекочу её резиновое ухо — она не запрещает мне ничего: мне больше не нужна девочка Лена, которая не хочет целоваться, хотя это всего лишь начало.

Я бросился на неё со всего размаху, шарнирно обнажив её кожаную плоть,— боже, неужели же меня никто сейчас не видит и никто не смеётся над тем, что я делаю? Сейчас я должен стать мужчиной, но как же, в конце концов, это делается, друзья? Наверное, нужно руководство, иначе я не соображу, что к чему.

Но, тыкаясь в новую реальность, не в силах сломать стену и открыть дверь, как ни странно, это была именно Она, когда, воспылав неким электромотором и шепнув некоторый звук, она направила меня в правильное русло, где я сразу же почувствовал себя уверенным человеком. Она смотрела на меня нежно, ничуть не обижаясь моей детской неопытности: она только сделала своё дело и даже улыбнулась, когда я наконец научился управлять самим собой. Великое удовольствие росло во мне, как цветок: имея её, я имел всех своих знакомых девочек, я имел всех своих будущих любовниц, я имел, наконец, свою маму, наслаждаясь свершившимся Эдиповым комплексом; я имел, оживлённый волшебной палочкой, чудесный, лакированный западентальный мир, который сиял бриолиновым блеском журнальных страниц; и больше того — я имел Весь Мир, чьими членами были моя мама и её добрый начальник Амилькар Ильич!

Потом я отвалился от неё, почувствовав себя крепким мужиком, рядом с которым лежит кинозвезда. В этой жизни нужно пользоваться только самыми лучшими вещами, поэтому зачем мне нужна девочка Лена, которая неизвестно чем хороша, если есть Джина Лоллобриджида? Мы рождены для счастья, ведь на это указывал даже Христос, который говорил в «Евангелии от Фомы», что все вы, мол, думаете о каком-то царстве небесном, а на самом-то деле это царство уже давно наступило!

Мама. Ребёнок гол! Ребёнок гол! Ребёнок гол! Что это за девка?

Я. Мамик, это — Ильич.

Мама. Только не забеременей. Я привезла узбекский коньяк. Меня все любят. Сам Председатель Земного Шара специально проснулся на заседании, когда я произнесла по-узбекски: «Рахат! Саодат!»

Я. Мама, я стал мужчиной.

Мама. Это похвально. Только учись хорошо.

Вошёл Ильич, неся пасхальный кулич. Также вошёл габонский негр с вьетнамцем. Мы пили узбекский коньяк, я же всё время отлучался к моей любимой Лоре (пусть она получит такое имя!).

И я напился и заснул с ней в обнимку. С тех пор я живу с ней и очень счастлив. Мне больше не нужно никаких женщин. Сейчас у меня сидит Лена с кагором, но меня раздражает её родинка за ухом. Её не слишком тонкая талия. Её не совсем правильная грудь. Лора стоит в гардеробе и совсем не переживает, если я вдруг ей изменю. Я думаю, что это ей даже понравится. А потому мне даже и не хочется ей изменять. Интересен запретный плод. Верность же — это мудрость *имущих*.

Лена. Коля, давай поцелуемся!

Я. Давай, Ленок.

Мы поцеловались. Она чуть не откусила мне язык. Но я всё равно возбудился и тут же побежал в свою комнату, так как мы сидели на кухне, как и всякая интеллигенция, достал Лору и удовлетворил с ней своё желание.

После этого я успокоился и побежал назад — беседовать с Леной и пить с ней кагор.

Лена. Коля, давай ещё поцелуемся, а ты меня при этом... приласкаешь.

Я. Конечно, Ленок.

Мы так и сделали. Её тело оставляло желать лучшего, но всё же было ничего. И я возбудился и поэтому пошёл в свою комнату — к Лоре. Когда я закончил, я снова пришел на кухню.

Лена. Коля, а давай ты меня... ещё сильнее приласкаешь!

Я. О чём разговор, Ленок.

Так мы и поступили. Пришлось немного раздеть её. Когда я это сделал, я увидел, что она вся дрожит. Это на меня очень сильно подействовало, и, конечно же, я сразу возбудился. А возбудившись, я тотчас побежал осуществлять это с Лорой, чтобы можно было дальше продолжать наши беседы с Леной. Потом я снова пришёл на кухню и вдруг обнаружил совсем голую Лену.

Лена. Коля, давай с тобой...

Я. Ну а как же? Всё ясно. Сперва поцелуй, а потом — последствия.

Я попытался представить, что это Лора, но она не была столь послушна под моими руками, а кроме того, она оказалась девочкой — а я был слишком удовлетворён, чтобы решиться совершить роковой шаг в её жизни. И мы поняли, что совсем не подходим друг другу. Она оделась и сказала мне:

— Прощай. Коля! Я никак не думала, что ты — импотЭнт!

Она ушла, а я подумал: «Жаль. Но ладно». Тут я вспомнил её прерывистое дыхание и зажмуренные глаза и, конечно же, возбудился. А возбудившись, немедленно пошёл к Лоре, которая ни разу не сказала мне ещё ничего обидного.

Так я и жил. Я возмужал и стал красивым мужчиной. Мама обсуждала со мной сексуальные проблемы, попивая джин. Но однажды счастье кончилось. Её украли. Я плакал всю жизнь. Грязный Ильич в вельветовой рубашке подошел, закурив «Кэмел», и сказал:

Ильич. Сматывай удочку, малец-удалец! Девицу дали напрокат, ей цена — пятьсот рублей. Мой приятель занят сыроедением, и ему тоже нужна ночная помощница, которая не скулит и не плачет!

Я. О, боже! Моя любовь! Моя жена! Невеста! Мать! Дочка! Сестра!

Но всё было тщетно в этом худшем из двух лучших миров, которые имеются у нас в наличии. Лору увезли нехорошие люди, словно Констанцию, в зашторенной чёрной «Волге», а я навсегда остался безутешен.

Прошли годы. Сейчас я — почти седой и злой мужичок — сижу на скамейке и размышляю о жизни. Я — кандидат в члены Мира и иногда, бывает, выберусь в Алжир или Того, но нигде нету моей любимой, бедной, прелестной, неувядаемой женщины! Любовь мне опротивела с детских времен, и я ни разу больше не прикоснулся к женскому телу — мне не нужны суррогаты! Мне нужна Она и только Она — мягкая, вечная, своя в доску; верная и молчаливая. Она не имеет никакого изъяна, в ней всё продумано лучшими умами человечества, Она — Незнакомка, Жена, Женщина Сама по Себе: только с Ней я могу быть счастлив, ибо Она — это я, моя половинка, мой платоновский двойник, который я буду искать до старости, не зная отдыха и не веря в смерть. Я сижу на скамье, наблюдая закутанных в пальто женщин, и по-стариковски посмеиваюсь над их не слишком тонкой талией, над их не слишком правильным носом, над их не слишком большим умом. А если он небольшой — не лучше ль, если б его не было вообще, но зато была бы тонкая талия, правильная фигура, вечный огонь в глазах и вечная молодость в искусственном теле?! Искусство вечно, а жизнь приходит и уходит.

И как законченный идиот, я жду своей командировки в Майами, которую мне дадут только тогда, когда я стану Действительным Членом Мира; и я жду её, потому что там живет сбежавший от нас Ильич, где он ест щи на вершине небоскрёба, вспоминает узбекский коньяк и насилует женщину моей мечты. Я приеду, вытащу смертельный револьвер, который я куплю у своих арабских друзей, и заставлю его отдать мне мою дорогую, мою самую лучшую, незабвенную и нестареющую Её — мою Незнакомку, мою Лорину!

1984

ЖЕНИНЫ МГНОВЕНИЯ

«Boy, I'm a boy —
you've made me...»
Boy George

Я хочу описать величайший день моей жизни; день, гениальные мгновения которого полностью изменили мою судьбу, сделав её донельзя счастливой и прекрасной и вообще — похожей на начавшийся тогда и не прекратившийся до сих пор чудесный, сладостно-нежный, восторженный сон; истинно реальный и окончательно победивший бесконечные, грустно-серые будни, являющиеся обыкновенно основным наполнением жизней большинства живых существ и бывшие главным фоном в моей тогдашней тоскливой, глупой жизни, с редкими проблесками подлинного Праздника, Чувства и Любви.

Я проснулся в тот день утром, в своей кровати, голый, как всегда. Под простынёй лениво лежали все мои телесные члены, бугрясь гладкой мужской грудью, аккуратным животиком и упругой наполненностью бёдер; всё было создано так, что просто нельзя было не возлюбить эту определённую, нежащуюся сейчас плоть, которую хотелось погладить и всячески приласкать. Между ног, куда-то вниз, свесился мой аккуратный половой орган — я сжимаю колени, чтобы он исчез, скрылся, пропал и вдруг преобразился в свой абсолютный — *женский* — антипод, которого я всегда жаждал и желал если не у себя, то у других; но мне было безумно приятно сейчас представлять его здесь — вниз от пупка, чтобы почти непроснувшаяся рука стремилась к нему, а лицо озарялось кокетливой улыбкой; и чтобы трепетали соски, совсем как у любимой, когда я беру её за талию и погружаю свой грубый мужской язык в её тёплое ухо.

Я не женщина! Я не девушка и не девочка! Но я *только, всего лишь*, мужчина — какая жуткая несправедливость и однобокость видится мне в этом слишком жестоко определённом жесте судьбы!

Раз, два, три — я встал! Я встала! Я проснулась; короче (если б так можно было выразиться), «я встал*о*»!..

Эх! Вихляя бёдрами и выставив грудь вперёд, я иду в ванную, чтобы заняться утренним туалетом; я неспеша подхожу к своему мягкому, зелёному креслу и накидываю себе на плечи розовый ажурный пеньюар; длинный вздох — и я улыбаюсь озорной, счастливой улыбкой весеннему солнцу за окном, взрывающему матовым сиянием мои щёки и губы, и я готов жить и тут же заняться любовью с самим собой; мне не нужен никто, я сам есть Женщина для самого себя; меня зовут Женя, то есть почти Жен-щи-на, и зачем мне нужны какие-то другие тела и души, когда стоит мне надеть мой любимый чёрный лифчик и медленно провести ладонью по своей талии, я тут же явственно ощущаю этот, извиняюсь, великолепный хуй вонзённым в эту же роскошную, нарядную плоть; и тогда оргазм озаряет всего меня, словно истинное Откровение, и зарождается Новая Жизнь.

Я долго стоял у зеркала после душа, расчёсывая свои кудри и крася губы; я решил сегодня избрать лиловую помаду и обвести её по краям чёрным карандашом, чтобы весь мой рот вспыхнул бешеным огнём чувственности и страсти, а глаза, обведённые чёрно-зелёной тушью, лукаво смотрели на мир из-за длинных, вздымающихся вверх, как вечный восторг моей души, ресниц. Я надеваю прозрачные красные трусики и вновь зажимаю ногами мой член; теперь можно видеть лишь соблазнительно рыжеющие сквозь бельевой шёлк волосики, один вид которых повергает меня в настоящий экстаз и радостный трепет.

— Какая милая!..— басом говорю я сам себе, ухватив правой рукой своё левое плечо, словно стесняясь своей груди, а затем, расставив ноги и на миг став опять мужчиной, подмигиваю сам себе, и в зеркале мне улыбается прекраснейшее девичье лицо: её зовут Женя, как и меня, и она — это тоже я, и я вечно влюблён в неё, как и она в меня, и — о, Боже! — как же нам хорошо вдвоём!..

Я начинаю теребить свой член-клитор, вопя вместе с ней от восторга, и наконец мы кончаем одновременно; и тёплая, свежая сперма стреляет в её-мой пупок, а я подставляю ладонь и пью её своим ртом, размазывая её прямо по Жениным губам в помаде, в то время как я — Женя — шепчу постоянно одну и ту же великую фразу, которую она упоительно повторяет за мной своим колокольчиковым, мятным голосом: «О, как прекрасна ты, возлюбленная моя!..»

Потом я спешно подмываюсь, чищу зубы, а потом сижу за чашкой кофе на кухне и курю длинную коричневую сигарету, одновременно бегло осматривая свои ногти и размышляя, каким бы лаком мне их покрасить;

я всё-таки не сдержался в ванной, и этот секс немного испортил мне макияж, но ведь всё поправимо, и я удовлетворённо смеюсь, стряхивая пепел и поправляя у себя на пальце золотой перстень с большим изумрудом.

Сегодня выходной день, и мне совершенно не нужно крутиться на всевозможных работах, чтобы получить деньги, которые я потом обычно спускаю на свои прихоти; а раз сегодня выходной, я полностью предоставлен (предоставлена!) сам себе, и вечером — а сейчас уже три часа дня! — я, наверное, отправлюсь в какой-нибудь ночной бар, например в моё любимое заведение под странным названием «Двустволка», и буду танцевать, пить шампанское и таинственно смотреть на происходящее там повсюду всеобщее веселье.

— Пойдём в «Двустволку», Женя? — спрашиваю я.

— Да, Женя!

— Мне хорошо с тобой!

— Я люблю тебя!

Вот так; обычно мы никогда не спорим, хотя один раз даже подрались, когда никак не могли согласовать место наших любовных утех; я дал ей тогда пощёчину, от которой у меня немедленно покраснела левая скула, а она расцарапала мне грудь, выдрав из неё волосок, что было очень больно. Но я тогда извинился и даже решил доставить ей «оральное удовольствие», как сказано в фильме «Pulp Fiction», но у меня ничего не получилось, поскольку мы с ней всё-таки занимаем *одно* тело и при всём своём желании я не могу выделить *её* в отдельный организм, как бы нам этого ни хотелось; а может быть, это и к лучшему: ведь главная мечта человеческих мужчин и женщин на этой планете состоит в бесконечном приближении к абсолютному единству, а у *нас* эта задача решена изначально и окончательно.

Через несколько часов, которые я потратил на тщательное одевание в шикарное платье, чулки (как же я люблю великолепный кружевной *пояс*!) и наложение косметики везде, где только можно, я уже сидел за столиком в своём любимом ночном заведении и надо мной грохотала изнуряющая своей тяжёлой, истинно *фоновой* однообразностью техномузыка. Я слегка подстукивал шпилькой в её вечный такт. Везде тусовались разукрашенные люди; в центре зала дёргались, разбившись на пары, *натуралы*, слева от меня разместилась достаточно тихая и немногочисленная компания лесбиянок, а справа шумно пили пиво плечистые педерасты в кожаных куртках и майках советского образца.

Я ласково смотрел на всё это характерное ночное действо своим одобрительным женственным взором и откидывал со лба налаченную прядь. Я весь пахнул гениальными духами и чувствовал их безумно возбудительный аромат в полную силу, стоило мне только поднять мою верхнюю губу к ноздрям; у меня уже нос даже запачкался помадой. Как же я прекрасна!.. И тут я заметил, что некий мужичок, сидящий рядом с лесбиянками, вперился в меня и буквально не может оторвать свой взгляд от моих великолепных коленей, призывно выступающих из-под подола.

Он был одет в строгий чёрный костюм, чёрные сапоги и чёрную шляпу; на его верхней губе какой-то краской либо углём были нарисованы задорные тонкие усики; его рот застыл в ироничной усмешке, и он потягивал через соломинку огромный коктейль в стакане. Почему он так уставился на меня?.. Бессознательно я поднимаю голову и смотрю прямо в его глаза; плечи мои разворачиваются, проявляя грудь, где у меня под лифчиком, вместо сисек, засованы скомканные носки и носовые платки, но в такой тьме это всё равно — я выгляжу абсолютной, стопроцентной, привлекательнейшей женщиной и могу даже заигрывать с противоположным полом, почему бы нет?..

Женя, что ты делаешь, ведь я — твой единственный любимый, ведь правда, Женя, ведь правда?! Потрогай, какой у меня классный член, какие у меня упругие ягодицы, как точёно выглядит мой холёный подбородок, откуда у меня может отрасти чудеснейшая, густая борода?!. Я ревную, я бешусь, не смотри туда, не смотри!..

Пошёл ты, сколько можно, я — Женя, я — свободная девица, у меня нет никакого члена, на мне женские трусики и лифчик; моё платье шуршит, я ведь *могу тебе изменить*?!

Нет, никогда, ведь ты же не педераст, что ты делаешь, проказница!

Я, конечно, не педераст, я скажу тебе, кто я. Я — *лесбиянец*, вот я кто; и не мешай мне строить глазки и настраивать свой голосок на высокий девичий, грудной тон, ведь что будет, если он захочет пригласить меня на танец?

Пошли отсюда!

Уходи сам, придурок! Надо подкрасить губки.

Ну и уйду! У нас с тобой всё кончено.

Я встаю из-за столика, беру свою сумочку, но тут этот мужичок с угольными усиками тоже немедленно встаёт, пересекает зал и оказывается рядом со мной.

— Потанцуем? — говорит он, указывая рукой на стойку бара.— Меня зовут Женя!

Я прыскаю от смеха, вынимаю из сумочки носовой платочек, вытираю себе лоб и замираю в нерешительности. Я жду, что скажет мой собственный Женя, но внутри меня вдруг всё тихо: блин, неужели он, в самом деле, ушёл?!.

— Ха! — смело отвечаю я настроенным на нужную высоту девичьим, грудным тоном.— И меня зовут Женя. Ну пошли. Только мне надо...

— Я вас провожу!

Он словно читает мысли, а может быть, хочет как-то унять мою нерешительность, знал бы он, в чём её причина...

Он приобнимает меня за плечо, другой рукой осторожно касаясь моей талии, мы входим в неразбериху дрыгающихся в танце людей и тоже начинаем всячески ритмически дёргаться, причём его таз постоянно буквально ходит ходуном, вверх-вниз, словно он даёт мне понять, с каким остервенением и настоящей страстью он может заниматься любовью... А где же мой Женя, где Женя, откликнись?.. Молчит, ушёл, да и к чёрту его; зубы мои разжимаются, высунутый язычок облизывает губки — это я ему показываю, как я могла бы делать, и стараюсь двигать задницей вправо-влево, чтобы он обратил на неё своё пристальное внимание, но, кажется, я ему и так понравилась — что же, что же делать?!

Мы оттанцевали где-то полчаса, я устала. Я посмотрела на свои маленькие, аккуратные часики; он вновь обнял меня за плечо и зашептал в левое ушко:

— Вы спешите, вам надо уходить, давайте я провожу вас, вы такая красивая, вы — моя богиня!..

— Ты тоже ничего, Женя,— говорю я и сама удивляюсь, что я это говорю,— но не надо, меня ждут, мне надо быстро-быстро...

— Ну и я с вами быстро-быстро...

— Ты такой быстрый?..

Мы хохочем вдвоём; он уже совершенно уверенно обхватывает мою талию, и я понимаю, что мне не вырваться.

— Не надо!..

Блин, что я несу, надо сматываться, и чем скорее, тем лучше. Но мне не уйти просто так, тем более что мой любимый... оставил меня. Ах, была не была!

Мы вышли из «Двустволки», очутившись в мягкой ночной тьме; он шёл рядом со мной разлапистой мужской походкой, и мои шпильки победно стучали по асфальту, вызывая гулкое эхо в соседних подворотнях. Мы шли и молчали, а он всё время смотрел куда-то в мою шею горячим, соблазняющим, вопросительным взором; мне надоело, и я взяла его под руку.

— Мне в самом деле надо уже идти...

— Ну я хоть поцелую вас на прощание! Да, да, не спорьте, это — нужно, хотя...

— А что, собственно, хотя?! — изумляюсь я, злобно останавливаясь и глядя в его ставшее вдруг каким-то почти по-детски растерянным лицо.

— Да... Извините.

Он вдруг отходит от меня и стоит напротив, ничего не делая, словно ни на что не решаясь. Наконец, он улыбается и вдруг тихо говорит:

— Мы с тобой одного пола — ты и я.

Что?!.

— Конечно, конечно,— разочарованно отвечаю я ему.— Мы с тобой одного пола — я и ты.— Интересно, он только сейчас меня просёк? — Но... Я просто это люблю...

— А я не лесбиянка,— говорит он мне,— хотя иногда... Но сейчас я просто заигралась. Ты — шикарная баба.

Тьфу!

— Да я — мужчина! — кричу я ему, совсем как в кино с Мэрилин Монро, и даже пытаюсь расстегнуть какую-то пуговицу на платье.— И, в отличие от тебя, совершенно не голубой! Я просто, просто...

Тут он вдруг начинает бешено ржать, словно накурился марихуаны.

— Ты что, серьёзно — мужчина? И — Женя? Я-то ведь — женщина! Я просто так люблю... Женя...

— Врёшь,— остолбенело говорю я.

— Нет, это ты врёшь!..

И тут, как будто по команде, мы отходим в ночную тень и тут же одновременно выставляем вперёд свои правые руки и... засовываем их: я ему в штаны, а он мне под платье. Я чувствую полное отсутствие любых выпуклостей в паху, даже напротив, мягкую покатость, волоски, в то время как он резко хватает меня прямо за яйца, отчего я инстинктивно дёргаюсь, чуть ли не сгибаясь пополам.

— Женя?!.— говорим мы друг другу одновременно, ошарашенные, очумлённые, остолбенелые.— Женя?!.

— Женя,— говорит она мне своим красивым мужским баритоном,— ну теперь-то я могу тебя поцеловать?!

Вот так, ночью того великого дня своей жизни я нашёл свою судьбу. С тех пор мы женаты уже шесть лет, и я не перестаю благодарить Высшие Силы, которые нас свели. Мы живём вместе, в моей квартире, а по уикэндам ходим в своё любимое кафе «Двустволка», где постоянно танцуем и целуемся. Мы так любим друг друга!

Но если вы думаете, что мы перестали поэтому одевать наши любимые одежды и представлять самих себя на месте самих же себя, то глубоко заблуждаетесь. Более того, мы окончательно уверились, что произошедшее было не случайно и всё надо оставить именно так, как оно и случилось. И хотя у нас двое детей — мальчик и девочка, даже они не знают истинной подоплёки нашей жизни и любви. А впрочем: зачем им знать прошлое, пускай будут счастливы сейчас, в настоящем и в будущем. Ведь все мы — счастливая, дружная семья, и я сделаю всё от меня зависящее, чтобы они не думали никаких глупостей о своих родителях, о своём появлении на свет, в этот мир, и о том, в каком качестве их родители друг с другом познакомились. Я никогда им ничего не скажу, никогда! Пусть растут и спят спокойно — ведь я же их мама.

1997

НЕ ВЫНИМАЯ ИЗО РТА

1. *Поездка в Америку*

Зовите меня Суюнов. Когда я смотрю на себя в зеркало, меня охватывают восторг, изумление и счастье. Я дотрагиваюсь до мочек своих ушей большими пальцами рук — и истома нежности пронзает меня, словно первые пять секунд после введения в канал пениса наркотика «кобзон». Я трогаю мочки ладонью и погружаюсь в сладкое бесконечное умиротворение, напоминающее пик действия ХПЖСКУУКТ. Я подпрыгиваю, хватаю мочки указательным и большим пальцем, начинаю онанировать, то разжимая, то снова сжимая их, и предчувствие великого, сильного, огромного оргазма обволакивает мою голову, повергая меня в трепет, блаженство и страсть; мочки как будто заполняют меня целиком, я весь преображаюсь, теряю свет в глазах, понимание и стыд; и бешеный конец затопляет меня всего, отзываясь пульсацией крови во всём теле, судорожным сердцебиением и изливанием семени внутрь. Мне кажется, я не забеременел, я думаю, что могу ощутить сам момент зачатия, самоосеменения, и я боюсь умереть от любви и счастья в тот миг, и мне страшно, и всё как волшебство. О, Иван Теберда!..

Сегодня было хорошо. Я припудрил уши, расчесал лобковую область и застегнул чемодан. Я решил полететь в Америку — страну педерастов. Я — монолиз. Монолизы составляют примерно половину русских и четверть украинцев. Мы трахаемся через мастурбацию мочек своих ушей. Американцы — педерасты. Немцы — подмышкочёсы, французы — говно. Австрийцы делятся на мужчин и женщин, папуасы различают двадцать девять полов. Теберда! Мне страшно думать о возможностях, открытых перед ними. Но извращения запрещены. Родился монолизом — дрочи уши. Если педераст — поступай соответственно. Я боюсь законов, боюсь отрезания своих ушей. Они так прекрасны, что если я смотрюсь в зеркало, я тут же возбуждаюсь и начинаю немножечко потрагивать мочки. И если это случается в общественном месте — ужасно! Мне не раз уже приходилось платить штраф. О, Теберда!

В детстве, когда я начинал заниматься этим за столом, я тут же получал оглушительную пощёчину от своего родителя.

— Люби в одиночестве! — выкрикивал он надоевшую общеизвестную фразу, написанную в каждом букваре.— Ты что, русский язык не понимаешь?!

— Я понимаю,— отвечал я в испуге.

— Так вот, иди в туалет и там давай!!

— Там воняет.

— Мне наплевать! — восклицал человек, произведший меня на свет.— Ты должен вести себя прилично! Вот когда я умру, ты останешься один в квартире и хоть обдрочись!

— К тебе вчера две муженоски приходили сосать...— говорил я, плача.

— Ах ты, гнида! — ярился мой гнусный отцемать.— Я тебе дам!

И он стегал меня ремнём по плечам. Когда он умирал от несварения мочи, я додушил его. Мне хотелось отрезать его мерзкие уши, которые были много меньше моих, но я подумал, что это может вызвать подозрение у милиции, а наши милиционеры — дотошнейший народ. Они все белорусы и имеют по два влагалища на брата. Когда им нужно делать «тю-тю», они обнимаются, целуются, называют друг друга «машками» и засовывают каждый другому по два пальца рук в эти влагалища. И так могут стоять часами. И постоянно — поцелуи, «машки». Не удивительно, что их прозвали «машками». Я их ненавидел, а они нас называли «уховёртками» и постоянно пытались поймать на каком-нибудь нарушении закона о приличиях. Один «машка» меня особенно невзлюбил.

— Эй ты, уховёртка! — кричал он мне.— Ты не за мочку ли схватился?!

Он шёл на меня, смердя своими гордо выставленными влагалищами, которые налились кровью, как глаза навыкате.

— Никак нет, мой дорогой приятель и друг! — нехотя отвечал я.

— Смотри, упэрэ!..— говорил «машка» и степенно уходил.

О, Теберда! Сколько они могут издеваться надо мной!

Сегодня я решил лететь в Америку. Там педерасты, а я — турист. Да, я хочу извратиться. Да, это стоит больших денег (американцам на всё наплевать, кроме своих загорелых мужественных попок и денег). Да, я заработал у мерзких японцев, которые испражнялись мне в рот. Да, меня чуть было не застукали с этим, и мне пришлось отвечать, что я ел у самого себя (как хорошо, что говно у всех одинакового вкуса!). Но я хочу испытать всё то, что видел когда-то в детстве, подсматривая за своим родителем, размотавшим все деньги, оставленные ему дедушкой, на разные забавы. Я хочу! И хотя у нас тоже в принципе можно найти любые удовольствия и радости, я хочу уехать. Я хочу увидеть другую страну, посмотреть на небоскрёб и прикоснуться к заднице Американской Мечты — главному их монументу, стоящему где-то там. И я полетел.

2. *В самолете*

Стюардесса с большим хуем на лбу спросила меня:

— Коньяк, изжолку, мочу, воду?

— Я хочу кольнуться,— сказал я робко.

— Бой, ты дурак, шутишь?! — рассердилась она.— Иди-ка быстро в туалет, подожди.

Я встал, но тут же самолет вошёл в крутой вираж. Я упал на какого-то вьетнамца, напоминающего желе, и он начал меня обволакивать, урча.

— Ты — ласковый, как груша в моей стране! — воскликнул он.

— Иди в дупло! — крикнул я.— Я — русский!

Он выделял какую-то пахучую вещь, напоминающую клей. Он был страшно похотлив.

— Ты летишь в Америку, муздрильник...— мурлыкал он. Я не мог отпутаться от этого липкого человеческого существа.— Там свобода, там всё. Ты — монолиз?

— Да,— агрессивно отвечал я.

И тогда этот гад начал раздражать мои уши своими щупальцами или чем-то ещё, что выделяло тот самый клей.

— А! — заорал я.— Я не готов! Мне очень-очень-очень приятно!

Самолёт опять сделал какой-то идиотский вираж (очевидно, пилоты занимались «тю-тю»), и меня тут же отбросило от вьетнамца.

— Бой, ты здесь? — удивлённо спросила стюардесса, которую я чуть не сшиб. Она направлялась к японцу с ночным горшком.

— Я вас люблю, человечинка моя! — насмешливо заявил я, дотронувшись до своих мочек.

— Быстро туда,— сказала стюардесса шёпотом. Я помчался в туалет и заперся там. Через какое-то время раздался стук. Я отворил, и вошла стюардесса с огромным шприцем.

— Что это? — оторопел я.

— Это — «вань-вань»! — гордо произнесла она.— Лучшее вещество, последнее достижение подпольных дельцов. Вводится в спинной мозг. Для тебя бесплатно, но ты должен поцеловать меня в щёку.

— Пожалуйста,— сказал я и поцеловал её. Она тут же стала красной; хуй на лбу эректировал, и глаза её наполнились спермой.

— Невозможно...— выдохнула она.— Это — всё... Я не знаю... не могу просить тебя ещё...

— Мы договаривались только на один раз! — рассерженно заявил я, обнажая спину.— Попрошу соблюдать!

— Ну ладно, ладно...— залепетала она.— Я же просто так...

Я почувствовал ужасную боль, как будто мне разламывали спину на две части, но как только я хотел повернуться и врезать этой гадине, тут же наступило такое бешеное наслаждение, тепло и счастье, что я упал прямо на туалетный пол, не обратив внимания на то, что я ударился затылком об унитаз, и провалился в какую-то сладкую вечность, к которой лучше всего подходило простое, короткое слово «рай».

3. *Винтом!*

Я очнулся, когда самолёт уже стоял на земле. Кто-то сильно стучал в дверь туалета, где я до сих пор лежал. Мочка моего правого уха была погружена в чьё-то дерьмо. Это было немного приятно, но тут же я вскочил, немедленно вспомнив японцев. Моя спина страшно болела. Опять раздался нервный громкий стук.

— Открой, кто там, или я сорву тебе нос!

Я отворил, передо мной стоял пилот. Увидев меня, он приосанился и произнёс:

— Простите меня, сэр. Я думал, это Джонс, сэр. А это вы, сэр. Добро пожаловать в Америку, сэр.

— Где небоскрёб? — сонно спросил я.

— Там, сэр,— отвечал пилот.

Я вышел, взял свою небольшую сумку и затем вступил на американскую землю. Было жарко, повсюду ездили автобусы, управляемые загорелыми мужчинами. После разных формальностей я оказался в аэропорту. Прямо передо мной находился бар, в котором было виски.

Я вошёл, сел за стойку, ощущая дикую спинную боль. Иван Теберда! Подошёл загорелый молодцеватый бармен, улыбнулся мне белозубо и потом зевнул.

— Я хочу выпить чашечку виски,— заявил я.

Он кивнул, налил. И тут я увидел, что справа и слева от меня садятся два парня. Они были американцы, румяные, как помидор, и в ярко-зелёных фермерских кепках, на которых почему-то было написано «хуй».

— Эй ты, мужчинка,— сказал один из них.

— Мальчоночек, малёк, пацан,— сказал другой.

— Ты — русский?!

Я отхлебнул виски и прибавил своему лицу решимости.

—Монолиз! — гордо произнёс я.

— А ты не хочешь ли винтом? — спросил один.

— Да, винтом не желаешь? Пятьдесят долларов плюс твоя попка, а?!

Положение становилось критическим. Если бы у меня было два ножа, я зарезал бы их сразу в горла. Я улыбнулся и сказал:

— О'кэй, ребятня.

Они обрадовались, стали хлопать меня по спине, отчего я чуть не умер, и повели в туалет.

— Наши туалеты — это не ваши туалеты,— говорил мне один из них по дороге.— Зови меня Абрам.

— Да, ваши туалеты — дерьмо, а наши — отлэ,— восклицал другой.— А меня зови Исак.

И мы все вошли в туалет и встали посреди него.

— Ну и что? — спросил я.

— Что? — отозвался один.

— Что? — повторил другой.

— Как это? — сказал я.

Тут они расхохотались и ударили меня по жопе.

— Малец, кажется, еще не пробовал винтом. Он — мальчик! Это ведь удача, Абрам?

— Точно, Исак!

Они заставили меня опуститься на колени, а сами встали у моих ушей справа и слева от меня. Один стоял лицом к моему лицу, а другой лицом к затылку. И вдруг они как по команде сняли свои штаны и трусы и обнажили огромные члены. Абрам крикнул: «хоп!», и они стали неистово трахать мои мочки с двух сторон в едином ритме. Вжик-вжик-вжик-вжик...

Иван Теберда! Что за наслаждение?.. Что за чудо, что за прелесть, стыд, предел! Теперь я знаю, что такое извращаться! Теперь я понял, как прав был мой сука отцемать. Ещё! Ещё! Ещё!

И тут, в самый момент моего оргазма, когда голова моя словно расширилась до размеров Вселенной, раздался свисток.

— Полиция! — испуганно заорали Абрам и Исак, быстро застёгивая штаны.— Прощай, парень, мы найдём тебя. Твоя попка за нами!

С этими словами они тут же влезли в какое-то окно и умчались. Я остался на коленях, как раз испытывая пик своего удовольствия.

— А, русский,— сказал загорелый полицейский,— и сразу же начал! ...Ай-яй-яй! Турист!.. В каталажку его! К разному сброду. Он не должен общаться с настоящими мужчинами! Жаль, не успел поймать этих подонков...

На меня надели наручники и куда-то повели. Я подумал, что вряд ли теперь увижу небоскрёб. И всё-таки моё настроение было прекрасным. Винтом!

4. *Не вынимая изо рта*

— Ты должен, паскуда, соблюдать законы этой камеры! — заявил восьмияйцовый человек, вставший надо мной.— Я здесь главный! Когда я какаю, моё дерьмо делится на двадцать девять частей и поедается всеми. Понятно?!

— Пошел ты в дупло, отброс чешский! — сказал я, поднимаясь.— Жри у себя сам.

— Ах ты...— начал чех, разгневанный моей наглостью, но тут я вцепился зубами ему в елдык. Он завопил, начал бить меня руками, ногами, дёргаться, но я не отпускал. Он схватил какую-то острую ложку и занёс надо мной, и тогда я окончательно разозлился. Я сильно сжал челюсти и откусил елдык. Чех упал на пол камеры и отключился. Я выплюнул елдык и громко сказал, чтобы всем было слышно:

— Чех без елдыка — словак!

Всеобщий хохот был мне ответом. Подошла какая-то нанайка, вся состоящая из щелей, и пропищала:

— Теперь ты — наш командир. Мы все будем есть твоё говно!

Все одобрительно закивали.

С этого момента моя жизнь стала просто замечательной. Я делал, что хотел. Поскольку это была тюрьма и здесь не было загорелых американцев, за нами никто не следил, и я испытал, наверное, все виды извращений по Шнобельшнейдеру. О, Иван Теберда! Как прекрасно, как чудно, как замечательно было всё то, что я пережил! Но особенно меня любили две англичанки-близнецы, соединённые единым клитором. Они обычно подходили ко мне рано утром, когда я лежал и мои уши обдувались двенадцатью немцами, и говорили:

— О, повелитель, о, любимый, о, радость, о, смысл! Позволь пососать тебе, позволь!

— Еще не время, девчонки,— отвечал я.— Потерпите.

Посасывание я откладывал на потом, боясь быстро перепробовать все извращения и разочароваться в них. А они всё подходили и подходили. Наконец, когда, как мне показалось, я в самом деле исчерпал набор того, что можно получить от живой и мёртвой человечинки (все трупы съедал наш бельгиец), я заявил:

— Хорошо. Я согласен. Даю вам своё согласие! Сосите, милые, сосите!

Я отогнал всех, они подошли ко мне, встали на колени и каждая взяла мою мочку в свой рот. Уже одно только это поразило меня, как стрела в грудь. И они стали сосать... Они сосали, а я испытывал то, что ещё никогда не ощущал, я кричал, визжал, стонал, почти терял сознание, и наконец я понял, что больше не могу, что не выдержу, и выдавил из себя:

— Всё... Всё... Остановитесь... Стоп...

Но они не прекратили и не вынули мои уши из своих ртов. Я начал дёргаться, попытался встать, но оказалось, что меня держат. Немцы, или кто-то ещё, держали меня за руки и за ноги и не давали мне возможности уйти от этого бешенства, от этой прелести, от этой смерти. Я оцепенел, потом меня, наоборот, стало судорожно колотить, как в припадке эпилепсии, и я понял тогда, что монолизу нельзя испытывать сосание столь долго, что это губительно, страшно, смертельно и что вся камера знала это и, ненавидя мои издевательства, решила таким образом расправиться со мной. Что ж! Что может быть лучше смерти от самого высшего наслаждения, которое только возможно? Я увидел, как я влетаю в какой-то радужный ласковый туннель, он обволакивает меня любовью, преданностью, величием, и когда вдруг вспыхнула вспышка и я осознал, что пришла моя смерть, вся эта реальность исчезла.

1992

КАК Я БЫЛ ВЕЛИКАНОМ
(быль)

Я давно хотел стать великаном — величиной с десятиэтажный дом, а может быть, и выше — сильным, привлекательным и непобедимым. Тогда мне уже никто не смог бы ничего сделать, а я бы любому диктовал бы свою волю и власть. Иногда мне даже хотелось обладать чудесным свойством проходить сквозь всё окружающее, будто вихрь каких-нибудь гамма- или альфа-частиц; я был бы тогда совершенно вне этого мира и мог бы говорить и делать всё, что только захочу, безо всякой опаски. Я мог бы даже насмехаться над лучшим другом и над собственной матерью, и для меня не осталось бы совершенно ничего святого — ведь кто может меня тогда остановить или чем-нибудь мне помешать?!

И вот однажды я действительно стал великаном: ведь часто наши желания исполняются. Я стал большим и могучим, страшно сильным и непобедимым. Я стал величиной с Землю. А затем я стал еще больше.

Началось это так: одним неприметным серым полуднем я стоял в какой-то парковой биллиардной вместе с лучшим другом — маленький, скромный и жалкий; играл, проигрывал рубли и тайно злился, хоть и не показывал виду. Мой второй лучший друг был в это время дома, он не пошёл вместе с нами в этот парк, а мы играли, играли и проигрывали постепенно все наши деньги. Наконец, они закончились, и после этого мы стали великанами.

— Ну что, пацанчики, больше нету бабок? — нагло улыбаясь, осведомился у нас наш победитель, завсегдатай этой биллиардной.

— Нету.

— Тогда валите отсюда, игра окончена, ха-ха!..

— Вы бы лучше не играли с ним, ребятки-то,— сказал нам какой-то добренький старичок, наблюдавший всю нашу игру.

— Молчал бы лучше! — огрызнулся на него завсегдатай.

И вот тут-то мы начали становиться великанами. Сперва мы мгновенно стали выше на голову этого противного завсегдатая биллиардной. Как только это произошло, я подошёл к нему и угрожающе сказал:

— Ну, чего ты там?..

— Да нет, нет, ничего,— засмущался он, увидев, как мы резко прибавили в росте и в весе. Потом он внимательно нас осмотрел, задумался, отошёл немного назад и крикнул:

— А ну уматывайте, пока я не позвал кой-кого!..

После этого мы так разгневались, что в миг стали вдвое больше нашего победителя. Вместе с нами увеличились и наши кии, которые мы наперевес держали в руках. И тут я решил, что пора дать ему по морде, подошёл поближе и легко ткнул его кулаком в рожу.

Раздался сильный тупой стук; он вскрикнул, отлетел куда-то и замолк. Его широко раскрытые глаза застыли, а лицо словно застыло в выражении некоего сложного философского вопроса. Вокруг него скоро натекла лужа крови. Тут я, продолжающий расти, стукнулся головой о потолок биллиардной и, чтобы её не порушить, решил выйти на улицу. Мой друг последовал за мной.

Пока мы выходили, кто-то где-то засвистел, закричал, и, как только мы вышли, нас тут же окружило человек двадцать. Один из них вытащил длинный сверкающий нож.

Но, очутившись на улице, где над нами не было никаких преград, мы моментально так выросли, что все эти люди своим размером доходили нам теперь до колен. Мы сразу же раскидали их ногами, а того, кто был с ножом, подбросили куда-то вверх, и, когда он шлёпнулся обратно на землю, голова его с треском раскололась и из неё потёк, точно кокосовое молоко с клюквенным вареньем, красно-белый мозг.

Тут опять кто-то засвистел, и вся эта небольшая толпа в ужасе закричала и стала разбегаться в разные стороны. Ну, а мы разгоняли их своими огромными киями.

— Ты что?! — вдруг ужаснулся мой друг.— Что же мы делаем?! Сейчас милиция приедет...

— Ну и что? — спросил я.— Ну и пусть едет. Если начнут стрелять, вырастем ещё, чтобы их пули нам были по фигу.

— Но это же милиция! — настаивал мой друг.

— А это мы! — ответил ему я.— Они ведь все такие маленькие.

Действительно, через несколько минут начали съезжаться милиционеры на жёлтых мотоциклах. Они нас окружили, после чего один из них заорал в мегафон:

— Предлагаю сдаться, вы окружены!

От подобной наглости мы выросли ещё больше, и милиционеры с их мотоциклами нам были теперь буквально до щиколоток. Я поднял свой мощный кий и ударил толстым концом по одному из мотоциклов, милиционер которого предлагал нам сдаться. Он тут же сплющился, схоронив в себе этого милиционера, будто моментально сжимающийся кулак, поймавший какую-нибудь красивую бабочку или божью коровку. Милиционеры засуетились повсюду, словно муравьи, почуявшие страшную опасность.

И вот тогда-то они открыли по нам огонь из своих автоматов и пистолетов, но мы уже стали такими большими, что могли почти незаметно для себя давить их всех своими ступнями. Столь же незаметными для нас были их пули, напоминающие, когда они попадали в наши ножищи, нежное щекотание каких-то тончайших волосков.

— Ну, всё,— в ужасе произнёс мой друг.— Теперь нам точно дадут высшую меру.

— Это кто это? — насмешливо спросил я.

— Да кто, кто, суд!..

— Это вот эти, что ли, или какие-нибудь другие такие же? — указал я на барахтающихся где-то далеко внизу, едва различимых нами милиционеров, которые тем не менее упорно продолжали в нас стрелять, постоянно попадая почему-то в большой палец моей левой ноги.

И я пошёл прямо по ним, как Христос по воде. А затем я стал с ними играть. Я выбирал одного из них, гонял его, угрожая кием, пока он не выдохнется, а потом клал его себе на ладонь и всячески над ним измывался. И я не испытывал тогда к нему ни малейших чувств, никакого сострадания; он был обыкновенной козявкой или букашкой. Мне было воистину забавно, как бедняга в ужасе пищал, и я даже удивлялся, с чего бы это такая мошка столь зверски цепляется за жизнь. Поиздевавшись вволю, я обычно убивал их одного за другим. Но какого-то из них я вдруг, неожиданно для самого себя, взял и отпустил — и я никогда не забуду того потока благодарностей, которые он мне напищал! Он скрылся так быстро, что я в самом деле не успел его снова поймать и убить.

Затем мне это наскучило.

— Растём дальше? — спросил я своего друга.

— Можно.

И мы стали расти дальше. Я посмотрел на далёкую-далёкую, маленькую-маленькую биллиардную и даже смог рассмотреть стоящего в ней у окна добренького старичка, который еще совсем недавно советовал нам никогда не играть в биллиард с местным завсегдатаем. Этот старичок мирно стоял у окна, наблюдая, наверное, все наши превращения и подвиги, и, кажется, курил, потешно пуская дым.

— А ну их всех! — крикнул я вдруг в каком-то упоении происходящим и ударил своей ногой по биллиардной. Она мгновенно рассыпалась, словно карточный домик. У бывшего входа в неё я смог увидеть верхнюю половину трупика нашего добренького старичка, застывшего в нелепой позе.

Потом мы стали расти всё дальше и дальше, и всё, что было внизу, полностью исчезло из нашего зрения. Мы проросли сквозь всю атмосферу, вместе со стратосферой и ионосферой, и скоро уже наши головы оказались в космосе. Там не было никакого воздуха, но мы абсолютно не задыхались — должно быть, весь этот воздух нужен только всяким мелким личностям, ну а такие громадные существа, как мы, как выяснилось, могли спокойно обходиться без него.

И мы росли, и росли, и росли. Наконец, мы уже не помещались на Земле и сошли с неё, повиснув в пространстве. В этом не было абсолютно ничего удивительного — ведь пространство и есть материя, не так ли? А материя не выносит пустоты. Поэтому мы стояли вертикально совершенно спокойно и никуда не падали. Да и куда нам падать, если вокруг невесомость?

И мы увеличивались и увеличивались и скоро уже могли взять всю Землю в руки и кидать её туда-сюда. Земля стала для нас размером с биллиардный шар.

— А давай играть в биллиард,— предложил я своему другу.

— Как? — не понял он.

— Планетами. Будем играть в «пирамиду». Земля — биток, а остальные — просто шары под номерами. Или же лучше будем играть в «карамболь». Предположим, надо одним ударом коснуться Землёю Юпитера и Сатурна.

— Постой-ка,— сказал мой друг.— Как это — играть Землёй? Тогда ведь придет конец, катастрофа, всё. И там ведь живёт наш общий лучший друг. И моя мама, и твоя мама.

— Где это — вот здесь? — ехидно спросил я, концом кия указывая на Землю.— Ты говоришь: здесь?! Этого не может быть. Да, где-то есть наш друг. И где-то есть наши мамы. Но не могут ведь они быть прямо вот здесь... Бред какой-то!

И я взял Землю в правую руку и поднял её высоко над головой. Затем я встал в позу греческого дискобола, собравшись со всеми своими мощными силами, и резко бросил Землю далеко-далеко вдаль. А потом, будто охотничья собака, устремившаяся за подстреленной уткой, я бросился за Землёю и принес её обратно к своему другу — этот тёплый, источающий любовь и ужас шарик — в своих горячих руках...

И тогда мы стали играть в биллиард. Я ударил первым и попал в Юпитер. Земля отскочила от него с такой резкостью, словно и он и она были резиновыми. А потом ударил мой друг и тут же попал в Сатурн. Земля отскочила от него, но, приняв неожиданную для нас траекторию, угодила почему-то в Плутон.

И мы играли так, наверное, целый час или тысячу лет, ибо в нашем новом состоянии времени для нас словно не было вовсе. Потом нам это надоело, и я, от нечего делать, стал долбить своим огромным кием родную Землю. Я крушил её и крушил толстым концом кия, пока она не раскололась надвое, и это мне почему-то напомнило разрыв сердца. Два куска нашей Земли отчаянно завертелись, словно пропеллеры самолёта, и у меня от этого зарябило в глазах.

— Что же ты делаешь, мой маленький! — вдруг услышал я голос своей мамы.— Как тебе не стыдно, не совестно!

Она сидела рядом с вертящейся двойной Землёй и грозила мне пальцем.

— Я больше не буду,— тут же выпалил я.

Видение исчезло.

— Скучно,— сообщил я своему другу.— У меня больше нет никого.

— Скучно,— согласился мой друг.

— Пошли отсюда,— предложил я ему.

— Пошли.

— Будем искать конец Вселенной!

И с тех пор мы идём и идём по Вселенной, иногда играя в «снежки» или биллиард планетами, иногда греемся у звёзд, ублажая свои усталые огромные тела, засыпаем на целую Вечность безо всяких снов и затем вновь продолжаем свой путь. И вот так, многие световые годы, мы идём, идём и идём, всё вперёд и вперёд, сквозь одинаковые везде пространство и время, абсолютно нас утомившие, мечтаем хоть о какой-нибудь чёрной дыре, ищем конец этой бесконечной Вселенной, но никак не можем его найти.

1980, 1995

МАЛЬЧИКИ

«...Вскоре после этого они достигли Страны Женщин и увидели царицу женщин в гавани.

— Сойди на землю, о Бран, сын Фебала! — сказала царица женщин.— Добро пожаловать!

Бран не решался сойти на берег. Женщина бросила клубок нитей прямо в него. Бран схватил клубок рукою, и он пристал к его ладони. Конец нити был в руке женщины, и таким образом она притянула ладью в гавань.

Они вошли в большой дом. Там было по ложу на каждых двоих — трижды девять лож. Яства, предложенные им, не иссякали на блюдах, и каждый находил в них вкус того кушанья, какого ждал. Им казалось, что они пробыли там один год, а прошло уже много-много лет».

«Плавание Брана, сына Фебала»
(пер. А. Смирнова)

Они тузятся. Их лица выпучены на теле, как опухшие глаза; слюна выделяется в обилии изнутри и, как роса, туманом покрывает свалку снаружи — красные губки дрожат, изобретая что-нибудь неестественное духовной природе; и половая принадлежность сквозит во всём, что есть вонючего рядом,— ибо они всего лишь играют в игрушки унижения друг друга, и бесстрастный кулак, как ценность эксгибициониста, всегда при себе — бык сочится сладострастием при виде красной рожи; и вот — они тузятся, как детки, чтобы скорее прошла вечность и чтобы наступило уважение друг друга,— вот что значит шлепок по щёчке любимого противника.

Мальчик

это внук евнуха, клей лба, лакей без феодала, сверхравный среди равных себе, голый король, который не отличается от других; лошадь, глупая, как клён, только пыль.

Это лагерь любящих, это — клан.

Просто во всём они живут, и творят, и дышат, и их кулачки ухмыляются, стремясь завладеть честью другого; или кто-то, икнув, продемонстрирует общий смех, или кто-то, рыгнув, попадёт впросак. Ибо мальчик — многоликое животное, образуя стадо, он строит клетки.

Мальчик

это клетка без любви!!!

Как голо жить посреди жителей, душа еле тлеет в золе; и рядом копошатся чьи-то создания и кто-то сипит во тьме. Кого-то вешают за ноги, чтоб было веселей, и старшие мальчики одобрительно похохатывают, словно бабы, наблюдая интересную биологию мужского тела.

Вот так они и жили и спали врозь — хотя немногие образовывали свальное устройство из ночных тел без любви, когда трогательная грусть поселяется рядом с лицом и кому-то хочется картавить на «л», как в детские годы, а кто-то обнимает плечо друга, кладя третий глаз на ночь в стакан, чтоб он, как ночник иль свеча, подчеркивал тьму между ними,— это передышка перед боем; слюни готовы для всех путей и детей, и ноги снова будут потеть, пока в них теплится жизнь, поскольку жизнь человечья в пиджаке и дезодорированная рождается из вони подкожных разноцветных реакций; и хочется сблевать всю эту биологию и предстать перед миром гладко выбритым, с сигарой и будто бы как оболочка. Но во внутренних органах уже царствуют желчь и разные соки, и не будь их — нечем было бы усваивать ценный сигарный дым, убивающий лошадь и приближающий собственные лёгкие к естественному концу. Конец — не значит благородное одеревенение, и хотя труп не плюётся и не соплив, он разлагается, что ещё более характерно. Не зря некоторые умащивали останки благовониями и мумифицировали их, чтоб хоть как-то приблизить к внутреннему комфорту человеческое тело,— но, гляди ж ты, сморщенное безобразие просматривается и в этой мумии, из которой, как из воблы, давным-давно вырезали всю эту кишечную дрянь и дерьмо. Это просто чудеса — дерьмом поддерживается жизнь, и даже лорд всего лишь яйцеклетное устройство, непомерно разросшееся благодаря замечательной питательности окружающей её жидкой мерзостной Среды.

Тьфу — клейкая паутина лейкоцитов и всяких... НК!

И мальчик

эта глокая куздра, тоже глюкоза и глюк; благодаря пищеварению и дыхательному устройству имеющий румянец и стройный вид. Он кровав, он даже мог бы менструировать, если б мог. Он годен к войне — он любит обезноженный подвиг и верную смерть; он глотает лекарства, чтобы стать вообще из чистого мяса; он — словно громобой, и клич его — громкий наглый лепет, который не лишён глупости среди площади, где сверкают клинки.

Но сейчас — он в пижаме, бледен, но готов биться и смеётся, как шизофреник, над причудами других мальчуганов.

Он весел.

Вот так и живут мальчишки: между ними даже идут диалоги, и кто-то иногда говорит речь, и если у него есть авторитет, то его слушают с участием и кивками, пока перекур продолжается. Иные из мальчишек седы, иные уж лысы, у некоторых плешь проглядывает из-за вихров, но они все могут стать монолитом, неразделяемым на личности; они жмутся друг к другу в своём коллективе, они — друзья, кореша между собой; и не стесняются друг друга. В своём доме они могут свободно менять белье и скакать голыми по кроватям, швыряясь башмаками, но это — минутная вспышка весёлости, она может пройти и не возникнет никаких чувств. Просто они все — «ребята», и самые лучшие — тоже «ребята», и они не зря живут, а то, что всегда тузятся, так это с жиру. Иногда берут штангу и поднимают её вверх-вниз, изображая некий мышечный онанизм; и рыльца их краснеют, губки что-то шепчут, внутригортанные органы похрюкивают или что-то бурчат от удовольствия, и вот уже всё тело скрипит, словно самолёт, идущий на посадку или на взлёт; но всё нормально, все системы отлажены, и финальный плевок завершает физкультуру, и он красноречив. А то какой-то мальчик встанет и просто стоит у стенки или просто посреди жилища, о чём-то, видимо, думая или чтоб просто постоять, но здоровое тело, проходя мимо иного тела, пнёт его иной раз, и другой мальчик обязательно пошутит, оказавшись рядом с тем, что стоит просто так, и как шваркнет его двумя пальцами сильной кисти по уху, а то ещё проведёт серию ударов в дыхало, или в грудину, или в задницу — чтоб смешно было. И радуются все вокруг, и как барабан гудит тело того, что стоял. И сам смеётся, и жить веселее становится. А ещё по шее накаратированным углом ладони, которая привыкла сжимать штангу и рабочий рычаг, и тогда губы побиваемого от неожиданности что-то булькнут, если тем более они до этого что-нибудь излагали, и вообще всё будет смехотворно. А если тот, которого избивают, ещё и сам умеет производить всякие удары и приёмчики, то это просто будет, как в театре или в кино,— и глядишь, уже всё общество, словно кутерьма какая-то, тыркается внутри самого себя, трепыхается, как в сетях, и будто даже можно было бы какую-нибудь энергию из этого получать, поскольку идёт бурный активный процесс — жизнь бьёт ключом, и, может, иным приятнее Луна, где всё голо и где даже какая-нибудь живучая злая гадина, которая свои кишки может сожрать, не выживет — настолько идеал Луны обволакивает вакуумом и небесным холодом всё живущее и жрущее, но всё-таки картина жизни заставляет любоваться ею — вот пираньи кружат под водой, вот змеи кишат, клоповьи гниды скапливаются в запрелых матрацах, а вот мальчики занимаются пинками. Может, и новое что-нибудь будет — когда-то ведь ухал задумчивый гиббон, а теперь шимпанзе учится разговаривать.

И вот жизнь

это иглокожее, заваренное в архейском бульоне, налёт Опарина, желающий нуклеинизироваться, это жаба змеи, это дыхание, новая материя, это жизнь — она родила кровавое тело, и дух родила смерть! Больное болото, святой гной и внутренняя секреция; мальчик — плод Земли с серыми плевелами; его сны, словно полногрудые бабочки, уносят физическую самость в высший свет, где рай совпадает с местом рождения; но мальчик должен проснуться и тут же бежать кругами, чтобы солнце отражалось в его бодрости и чтоб белый свет покрыл его позор.

Утро, в конце концов, это

чёрное дело, раненая экзистенция, ушат со льдом в лоб индивидуального человека, это белая смерть наоборот и муки бесполезного рождения.

Лучше б солнце застряло в чьей-то утробе и не заставляло бы жизнь завинчиваться с новой силою.

— Я был бы мёртв! — сказал один из средних мальчиков, одеваясь.

— Моя рожа была бы красивым лицом! — сказал кто-то.

Эти реплики пугали тишь в округе, и старший мальчик бил кого-то ремнём, и кто-то хихикал в туалете.

Потом возник общий ор и гул ног, и всё это было мужским. Неожиданно из хаоса возникла организация, и все изобразили чёткую геометрическую фигуру из самих же себя, словно их причесали на пробор, единый для всех.

— Стоять, мальчуганы!

Всё это было смешно, но старшие мальчики и их помощники считали всех остальных, проверяя их наличие.

— Стервы! Вы — все стервы! Хитрые!

Зычный голос мальчика, который недавно стал старшим, угнетал уши. Он, словно заведённое приспособление, ходил туда-сюда вдоль человеко-бруска из мальчиков и хотел шутить. Так начинался день. Потом глазки его начинали наливаться ехидством — он видел непорядок, и тут же с разбегу ударял ногой в живот кое-кого, чтобы животное мясо не омрачало общего внешнего вида. Наконец-то становилось смешно. И тут совсем затюканный мальчик в широких штанах появлялся у входа — и все предвкушали приятную сцену.

— Ты как идёшь, гадина?

Бедняжка смущался и начинал изображать почтение. Но всё равно ему пришлось раз двадцать спросить разрешение, после чего к нему вплотную подходил один из старших и начинал кричать:

— Где ты был? Где ты был?

И кто-то шепнул другому: «Смотри — сейчас последует удар в грудь».

И точно — бах!!! Звук тупой, как в тюк ваты. Личико ударяемого мальчика сразу же болело, и он переставал дышать. Все молчали. Только сзади другой старший дал кому-то по ногам — чтоб лучше стоял.

— Ладно, иди! — отпускали наконец затюканного, и он ковылял к общей массе.

Вот такой эпизод, резкий, как удар по шее ребром ладони, когда в глазах начинают вспыхивать белые цветки, можно было бы понаблюдать, будь вы все там. Это всего-навсего утренняя гимнастика.

А потом — змеиная суета, ноги до ушей, зуботычины среди людей, и огромный путь до завтрака, когда рот орёт задорную песню и нужно улыбаться, чтобы изображать спокойствие.

Нежность кого-то, как

старость любви, смоква сна, клей Луны, доказательство Бога, бельё, пропитанное тобой, милый мальчик с девочкой под ручку, семёрка червей на зелёном сукне, кофе моей души!

Кто-то нежен из всех и готов целовать снег и ласкать сугроб; он среди слепой белизны мёртвого мороза; в вагоне горит лампа, и здесь, где хранится груз, можно было б сделать ресторан или ложе — но кто, если не мы, будет работать для того, чтобы думать о прелестях зимнего железа! Слёзы мёрзнут в железах, и пальцы сжимают груз. Мальчики работают, чтобы занять своё время на планете, синева которой позволяет её выделить в особый предмет. И утренняя Луна, как большая снежинка, пусто висит наверху. Для чего моё тело напряжено?!

Вот завтрак, словно смесь брюкв и углеводов, он — углеводороден и неестествен в тарелке; но это — будто бы баланда, которую нужно проглотить, чтобы горячий чай, как кайф, утеплил внутренность, где словно образовался человек в кресле и, отдыхая, читает утренние газеты.

Этот завтрак есть вырванное из мясного тела дня приятное время, чтобы сидеть, будто бы в свободной стране, где каждому полагается своё вкусное блюдо из омара или даже шашлык — чтобы кровь, словно сок для Кровавой Мэри, стекала по чистому ножу, в составе которого есть небесное серебро. Мальчики хлебают голый суп, они тузятся.

Некто трогательный, который устал от жизни, не приемлет окружающего мира. Его проклятия летят в тарелку и тонут в перловой массе. Он согласен отдать свою жизнь, чтобы большая современная бомба уничтожила всё, что он видит.

Лица старших моих,

как бычьи помочи,

бельё зла, гнилой лак или голый Глеб. Голем как глава племени — глиняный чурбан во главе всех — нужно в рот ему указку в виде зуботычины, но почтение не позволяет измываться над начальством и не выполнять условия своей рабочей участи — напротив, вождь будет блаженствовать над внешностью себе подобных и кричать им в рожу то, что нужно для поддержания общей жизни. Мальчишество есть клад без золота, которое всё-таки блестит.

И всё кончается, и опять линейка из мальчуганов призвана заниматься ручными обязанностями, и груз ждёт своей спины, и это не обязательно крест, но возможно — ящик, а может, и лопата, чтобы разъедать внутренности Земли в поисках абстрактных богатств или просто чтобы копать, для того чтобы провести время, поскольку, будучи мужчиной, мальчик мускулист и жилист и он иногда с удовольствием рукоприкладствует, используя мишенью неодушевлённые вещи, которые все в конце концов — рычаги, чтобы ворочать тяжёлые предметы, будь то камни или неприятный грунт.

Туда-сюда, туда-сюда, труд стал владыкой мира, и рука уже чувствует характерное изменение: пальцы готовы сжать пращу или рубило и использовать природный материал как орудие.

Работа нужна рукам, как привязанность к природе, что вокруг; и мальчики, как древние рабы, не расслабляясь, терзают чурбанные предметы, которые, как чугун, чересчур тяжелы, хотя иные и не так уж,— но всё равно требуется непонятное и направленное в конечном итоге в себя усилие, от которого мальчик, как мужик, наливается агрегатным соком тяжёлой индустрии и уже может, шутя, бросаться бывшими ранее тяжкими даже для поднимания вещами: вот так рождается рабочий.

Труд длится многими часами, когда солнце уже заставляет про себя вспомнить, и ноги хотят взлететь из этого мира и возлечь среди яств и чудес, но кувалда остаётся перед тобой, готовая убить чью-то голову, ежели руки жаждут любви, а не её рукоятку.

Итак, полдень,

когда время унеслось от тебя, как потерянный мир, слепота судьбы, сахар во сне, собака за поворотом,— где-то режут грязный овощ в обеденный суп, где-то сервируют стол, чтобы мальчики заняли свои места для приёма пищи, где-то ничего нет, кроме голой любви под небесами, когда хочется прогрызть плоть до печёнок и полностью скрыться в отворившемся лоне, и труд сливается с радостью в единую сущность: лучше быть гермафродитом и не разъединяться на полюса, из которых южный еще холоднее и злее, несмотря на тоску по древности и Гондване!

Мальчики могут работать до бесконечности, и где-то спит старший, и готов будто дирижировать этим, наверное, полезным трудом,— он возлежит на солнцепёке, как литературный штамп, и хранит в себе своё бессмыслие, будто айсберг без основания или часть природы,— ему стоит щёлкнуть двумя пальчиками, чтобы заставить младших мальчуганов объяснять свой не слишком резвый бросок погрузочного материала во чрево очередной техники, где мальчик-шофёр устало ждёт конца своей скучной жизни, наблюдая согбенные сильные спины остальных существ единого пола, преображающих перед ним реальность физическим способом.

Когда-то старший был средним, но его красный кулак дал ему силы пробиться и пользоваться теперь заслуженным бездельем, отдыхая на лоне возделываемого мироздания, которое гнётся, но не ломается под увлечёнными усилиями мальчишеской толпы. Старший мальчик красив, он пальчиком манит представителя подвластной ему организованной толпы, он может его тузить или заставить чего-нибудь ещё сделать помимо основных заданий, но может и смотреть на солнце, думая о прелестях обнажённых небес, в которых нет ничего одушевлённого, кроме птиц, которым неважно — мужчина ты или женщина.

Предвкушение отдыха от незаслуженной работы, это

цель добра, обед полдня, ласка реальности, свежесть в согнутых коленях, соловей за стеклом и салат за столом! Пока кто-то идёт среди всех остальных, сколько сказок и снов проносится в его теле и мозгу, где начинают функционировать пищеварительные центры! Он любит свою ложечку, под которой сосёт — непонятно кто и непонятно зачем, он благодарит старшего за молчание и усталость, поскольку этот день — такой же, как и завтрашний, и поэтому прелесть секунды всё равно встречается и у нас, когда все подчинены единому порыву, и словно какая-то неотменяемая весна стремится сделать своё чёрное дело и обратить злую белизну в предчувствие возможности иных путей и рождений в этих задворках родной галактики, где суждено трудиться, чтобы скоротать время до абсолютного великого отдыха. Или смысл не оставит нас и там?

— Я хочу жрать! — говорит умный мальчик, и сейчас он равен всему остальному, что видит перед собой, а ничего нового он видеть не в силах, и даже готов полюбить эти потные бредущие тела, организованные в единый потенциальный монолит, где не нужно иных полов, как и не нужно новых рождений. Пусть все исчерпают свои жизни до предела, и нет нужды перекладывать на хрупкие плечи следующих детей нерешённые собственные трудности, и пусть весь мир существует лишь для нас, и хотя было несладко, мы все существовали по-настоящему, а то, что именно таким способом, так это всё равно — ведь путь спасения неважен и, может быть, лучше быть прекрасным механизмом в общей бездарной машине, чем скучающим индивидом, сотрясающим небеса и подземелья своими детскими вопросами и не умеющим умирать, то есть уничтожаться, с ясными, как у старшего мальчика, глазами?!

Всё можно придумать, и некто трогательный из мальчиков тоже молится про себя и готов есть очередной обед, чтобы поддерживать свои силы для продолжения трудового дня. Можно разворотить землю, если делать это постепенно и не отвлекаясь на собственную личность, а ведь религия зачёркивает твою самость! Не в этом божественность мальчиков и их вознесение, как ангелов, в иные создания — ведь они делают своё дело, и нету тут восстания против единого для всех смысла, которого нет, и единственных для всех старших мальчуганов — пойди же и оспорь, что они не старшие тебе!

Чёрный труд,

как белый путь, лучшее воскресение и модель занятия, высшее слово без слов, костёр из вспышек, осетрина, обращённая в хлеб,— и пусть вино не ослабляет мускулистую плоть! Свирепые окрики в рожу несчастных, борьба каждую минуту и царственный стол с добавлением лишнего масла — вот поле жизни, и ничего иного, никаких более сложных устройств, для которых ещё не придумали упорядоченности; ведь не боги мы, в самом деле, чтобы оправдываться перед злым своим творением? И кто-то хочет спать, и кого-то бьют ногой по почке, чтобы исправно ходил по струнке и чтобы не чуял самого себя, начиная от шеи, как спящий Доуэль, которому будто бы пришили замечательную юношескую плоть без нервов и теперь можно пилить хоть ногу — он так же готов к труду и жизни, как и непрофессор, который ещё мальчик и не умудрён знанием иного телесного устройства.

— Молчать! — кричат всем роящимся мыслям, и слова более не рождают красивых ассоциаций. Снова столовая не есть новая столовая, и просто здесь можно поесть и некому говорить «спасибо» — все делают своё дело, и кому-то более легко, но, значит, он молодец — этот мальчик, которого уважают мальчики! Мужская дружба — вершина человеческих отношений, и столовая синего цвета наполнит свою уборную утробу мальчишеской начинкой, которая вмиг обратит в испражнение всю нехитрую сервировку и множество дозированных баланд, имеющихся на столах, которые стоят в подневольном шахматном порядке внутри несъедобного помещения, словно мальчики, обезличенные вконец и принявшие послушный четвероногий вид.

Обед — и друзья повара просят чего-либо более концентрированного, чем жиденькая трапеза, основывающаяся на скрытых возможностях человечьего организма, который приемлет всё и даже насекомояден, если нужно, а то и по собственным пристрастиям. Это гордый волк, рыскающий в снегах, требует свежей крови и парного мяса, словно аристократ синих лесов и живописных полян, а мальчик человеческий может жрать всё, что растёт, прыгает или летает, и даже гнильё — не предел ему. Он, словно паразит, сосущий калории, ему всё пойдёт, он везде найдёт ценную питательную основу; и, как сине-зелёная водоросль, он будет цепляться за своё животное существование, даже поедая перегной, чтобы дух ещё теплился в завшивевшем теле, вместо того чтобы красиво сдохнуть, обратя голодные глаза в пустое небо, и хотя бы раз победить свой живот, отказавшись от дерьма, раз нету шампанского!

Вот она —

водопроводная суть человека, чёрная дыра посреди чёрной земли, пищеварительный центр сгорания божеских бессловесных творений, конвейер кишок, язвенная болезнь суши, ранящая и гордый океан! И хоть мальчик пользуется прокисшим минимумом, он тоже готов поедать китов и динозавров — и можно поинтересоваться, сколько вообще динозавров за жизнь свою съедает это маленькое мужское существо? Но динозавры вымерли, поступив как настоящие мужчины, чтобы внушительные туши их не разрезали на котлетки и колбаски и чтобы не пихали их в рассортированном виде внутрь консервных упаковок, которые будет поедать какой-нибудь обезумевший мальчик в туалете, чтобы никто не видел, что он спёр эту рептильную баночку на разгрузке машины, с вечным мясом тираннозауруса рекса!

Вот так-то вот и происходит очередной человечий обед — под ритм жующих челюстей ворочается внутри голов какая-нибудь общая мысль. Ведь всех мальчиков, как представителей одного вида, волнуют одни и те же вещи.

А потом снова — «встать!» — и работа, всё с той же кувалдой и с теми же словами, ждёт всех, чтобы длиться хотя бы и заполночь — пускай мерно работают человеческие организмы, ведь поэтому это и человек, чтобы трудиться. Это медведь может спать всю зиму или просто ходить по лесу, наслаждаясь своей дикостью, а мальчик, будучи существом с большим количеством извилин внутри черепа, должен работать, чтобы мысль не стыла в жилах, но развивалась вместе с преображаемой действительностью. Мальчик вновь станет таскать грузы в новое место хранения, и теперь ничто не остановишь, потому что родился смысл и количество перешло в качество, а усталая физиология будет наградой за вырвавшийся из-под контроля дерзкий неоплаченный труд, который становится самодостаточной целью.

Но конец всё равно когда-нибудь наступит, и для того и существуют старшие, чтобы как-то регламентировать всё, что происходит, и особенно экстатические моменты бытия; ведь нельзя же дать возможность мальчикам взлететь на крыльях их рабочего воспарения и ангельски наблюдать свергнутые физикой горы, блаженствуя в прохладе иной жизни? Мальчик — это мальчик, и он нужен там, где был рождён, и было бы просто неразумно упускать его из виду; нужно только довести его до замечательного состояния здоровья и бодрости в формирующемся теле, но нельзя предпринимать никаких шагов, которые могут вести к всеобщему результату; мальчик должен быть хорош, но он не должен быть самым лучшим, и даже старший мальчик — не лучший, но старший, а следовательно, такой же мальчик; и он может даже хохотать вместе с другими, излучая бесконечное дружелюбие, и лишь потом, опечалившись, выкрикнуть очередное указание.

Но ночь делает своё дело — пускай отдых с дымом в руках будет ждать всех за поворотом, за которым кончается сегодняшний труд; все работали славно, и все уверены, что наконец в безопасности и смогут спать спокойно, поскольку стены и грузы охраняют их от посягательств иных тел и устройств.

Спасибо всем мальчуганам, которые понуро бредут в ночи и желают сна или мелких развлечений; вот и сзади идущий как стукнет переднего по ногам, так, чтобы тот рухнул, стукнувшись о землю, и всем опять весело, только старший чего-нибудь крикнет глупого, и все опять смеются: энергии мальчикам не занимать. А то ещё двое сзади идущих, перемигнувшись друг с другом, как вдруг налетят, будто трактор, на всю кучу, чтобы люди смешались с людьми и бились друг о друга локтями и рожами, словно птички в клетке, так опять будет у всех чудесное настроение. Но задели того, кому это не нравится; он авторитетен и задумчив, он выходит, как суровый дворянин или мрачный мужик, и говорит свои обидные детские ругательства твёрдым решительным голосом. Плевать на всех — двое идут разбираться, старший мальчик уважает их честь и пинком поворачивает вспять всю остальную мешанину из мальчиков — нечего смотреть на серьёзное дело!

Диалог их криклив и жесток, но руки пока спокойны. Потом они понимают, что стоят друг друга среди всей этой массы; и им не нужно терять расположение и дружбу, основывающуюся на равной потенции их наглостей и ручных окончаний, и поэтому стихают, говорят уже о других проблемах, а потом вразвалку возвращаются и, переглянувшись, как танк устремляются на всех остальных. Старший просит их прекратить, другие же мальчики, будучи природными стоиками, весело хохочут над собственным падением.

Но путь не бесконечен, и жилище, в конце концов, принимает своих весёлых жильцов — так холодная женщина, лишь разумом понимая, что ей нужно, отворяет ворота горячему мужскому существу, а сама остается спокойной и приятной носительницей прагматического очага, из которого может появиться и семья, если придёт время для нужного природе объединения различных физических начал; но объединение мальчиков — общество, и в этом его победа над плотью и животным нутром отдельного индивида, и типологически оно ничем не хуже семьи и даже выгоднее: после совместной пустой жизни никто не появляется на свет за тем же самым, что и они, и поэтому их мрачное существование приобретает ещё и некий мистериальный ореол.

Итак, новый конец дня застаёт наших мальчиков в светлом классе, где они сидят, немного обалделые после трудового дня, но ждут каких-то новых развлечений из общего ряда событий, которые им позволены. Лампочки горят, старший мальчик, словно профессор, стоит перед своими возлюбленными подопечными; хохочет, говорит, что он — отец родной, и собирается проводить какую-нибудь беседу, в то время как остальные полуспят, поскольку достигли состояния отдыха,— но время ещё не подошло, и полустаршие сзади резкими подзатыльниками и зуботычинами приводят в чувство тех, кто пытается дремать, нагло совершая бегство из той реальности, где они должны быть.

Итак, женщина

это чудная вершина, нога гнева, паутинка иной утробы, омут добра или змея в яйце. Свобода любить несуществующее; но где взять лоно, если есть только единый мальчишеский организм?

Женщина — это скурвившийся мальчик.

Мальчики сопят, обратив мозги в неведомое, старший хихикает, пытаясь рассказать тайну женской души, которая не нужна в этих стенах и в этом мире; разговор пробуждает тайные внутренние секреты в привычных и надоедливых физических устройствах, и мальчики, созданные для жизни в собственном обществе, плачут внутренними слезами, которые разъедают мозг, и кислотой сочатся в материальное сердце.

— Женщин нет, для вас — их нет! — говорит старший.— Что есть женщина? Баба — это ругательство для нас; мы не девочки, но мужчины, мы презираем их расчетливую слабость; женщина дана нам для удовлетворений, но мы отказываемся от этого — пускай они стонут и катаются по земле, на которой мы стоим и работаем!

— Тьфу, эти мерзкие твари, которые могут быть ласковыми, если им что-то нужно; они используют мальчика и выкидывают его оболочку; мальчик — инструмент для бабы, присоска, я — не такой.

— Мы поднимем свое знамя, пойдём в поход, будем дружить с друзьями и делать своё дело; а женщины, если они и встречаются, стоят лишь смешка в туалете или короткого сожаления о том, что ночь была не слишком темна. Я люблю их.

— Я их не знаю. Завтра будет новый день, завтра будет работа и учёба, а что есть женщина? Я не встречался с нею.

И кто-то нарисовал на доске голую женскую плоть, и кто-то не верил в это, будто женщина была четвёртым измерением, а не ласковой кошкой, которая может превратить ночь в красоту и импульс.

Но ночь наступала и для мальчикообразных людей, которые были лишены разделяющего их энергию предмета: так молния, скопившись в небесном мальчике, ищет выхода и пути и безжалостной ветвистой искрой, точно ниточной зарей или вмиг образовавшейся венозной светящейся системой в теле неба, обращается в ничто, сотрясая всепрощающую землю. Всё отходило ко сну, старшие считали наличие организмов на их местах, и теперь выключается свет, но не стихает смех — мальчики лежат здесь, они полны звериной потенцией, несмотря ни на что; они тузятся.

И только где-то в туалете, где ещё горит свет, какая-то неуставшая компания всё ещё обсуждает возможности и пределы женской природы. И в конце концов пощёчина идёт в ход, и некто трогательный, потягивая сигарету, боязливо вздрагивает, и тапочек летит в человеческий организм, и начинается свалка из-за женщин. Возможно, они ждут нас на небе, эти приятные голые существа, а возможно, их нет — ведь этот остров, где живут мальчики, не приемлет иной человечьей организации и слабые ручки здесь не к чему — здесь нужен сильный кулак венценосного создания, которое, даже если спит, полно ореола достоинства и убедительности. Телячьи нежности не для этих суровых мест, и только гроб угомонит мальчика, который хочет жить. И в конце концов стихает и шумная компания, и небытие воцаряется над завершившимся днём из жизни мальчиков.

Ночь,

которая была уже описана, снова начнётся, чтобы прекратиться с началом иных астрономических времен.

Но что это — то, что случилось вдруг, родившись из ночного спокойствия с маской неизвестного кошмара? Грохот и рёв наполняют жилище, кулаки и ножи лезут со всех сторон; кровь и слюни брызжут, как снопы света, в разные стороны; тела укрупняются наличием иных тел — и тревога, как писк комара в смертельной куче-мале, призывает кого-то дать отпор мордораздирательным действиям непонятных сильных существ. Ремни, словно нанчаки или цепи, кружат повсюду, блестя железом блях, штыки просятся в руки — и кто-то всё равно спит, хотя спать невозможно, почуяв роковую опасность, и старший мальчик, разбуженный неизвестным, кричит: «Соседи! Бей их!» — и это означает налёт мальчиков на мальчиков; всё жилище вибрирует, и спящих режут, как баранов, в своих сладких постелях; и кулаки мечутся в поисках чьей-то морды, и солнечное сплетение дребезжит, закупорив жизненно важные пути, во имя которых развивалась биология; и красное знамя войны в потёмках спускается на хаос ночных тел.

Где-то, встав на двух кроватных спинках, бешено бьётся старший мальчик, он презирает смерть и побои и ногами топчет непонятно кого, но предательский нож, может быть, своего же мальчика (хотя тут все — мальчики), прекращает его цветущую жизнь, и он, издав резкий вопль, падает на окровавленный пол, прямо рожей в рассыпанный мусор из урны, хохочет и умирает, как герой, дождавшийся силы. По нему ходят ноги, противники, словно влюблённые, сплетаются в агонии вольной борьбы, где дозволено всё; и непонятно — то ли страсть однополой любви, то ли жажда убийства направляет руку мальчика; и они душат друг друга, обнимая шеи синеющими руками, и падают на кровать, умирая в один день.

Налёт был внезапен — враждующая коалиция мальчиков решилась, наконец, свести счёты, и нету здесь отсутствующих, и в конце концов по воздуху летают табуреты и столы и чей-то череп дырявится и рассыпается, точно чугун, и только кожа еще сохраняет своё, помертвелое от страха и смерти, лицо. Война издаёт свой клич — это тоже занятие мальчишек; не знать им более счастья любви и работы!

Война,

как потасовка, беременная гибелью, как звонарь зла в закипающем зелье, как зелень, не родившая новую зелень, как Знак Зорро от уха до уха — чтобы горло, клокоча, захватывало давлением кислород, и сердце, точно ненужный пузырь, лопалось от воздуха.

Вперёд, вперёд — навстречу концу, чья-то победа утешит искорёженные трупы; и вот уже весь остров вибрирует и наслаждается самоуничтожением преобразующих его сил; мерзко и гордо гибнут мальчики от рук себе подобных!

«Они убьют всех!» — в страхе думает некто трогательный из мальчиков и, как жалкий дезертир или сволочь, через туалетное окно вылезает на безмятежную предрассветную землю. Он слышит, как прямо перед ним жилище ходит ходуном, и его не останавливает никто — все тела заняты битвой, как раньше работой, а он стоит не в силах ничего понять. Бешеный стул разбивает стекло, и из руки этого мальчика капает кровь, и ему больно — он отходит подальше. Он видит сквозь окна смерть своего маленького человечества, но слёз у него нет, ему странно смотреть, как какие-то существа ногами топчут его друзей, а потом сами падают на них, сражённые травмой черепа. Вряд ли кто будет жив — мальчики разыгрались не на шутку, а гордость — больше, чем жизнь. И, подташнивая, дрожит мелкое тело трогательного мальчика, и в заключение презрительное слово: «Мертвецы!» — говорит он и бежит отсюда, через лес и поле — туда, где тихо.

Ветки шуршат под его ногами, он шарахается, будто везде лежат мины. Он видит плод их сегодняшней работы — большую яму и, улыбаясь, думает о том, что, наверное, она будет хорошей могилой для мальчиков. Ему грустно.

Но, пытаясь обмануть природу, ему трудно уйти от судьбы, и огромный взрыв всего переполненного нетерпимостью острова заставляет его рухнуть в неизвестность, пытаясь схватиться руками хоть за какое-то спасение. Был ли это вулкан, гром или динамит? Непонятно что, но остров, как небольшая Арктика, распадается на льдины и осколки, и древнее море поглощает всё это творившееся на нём безобразие.

Рассвет надвигается, и этот трогательный — быть может, последний мальчик в мире,— поймав какой-то челн, растерянно плывёт по мрачной воде, наблюдая животворящее единство соединения разных стихий, и бежевый пар, как нереальный туман, скрывает вечные горизонты морских глубин.

Он смеётся своей участи и гребёт слабыми руками вперёд и вперёд — пусть то, что было, скроют его память и голова, и, если смерть не остановит его судорожное трепыхание, он будет стремиться в далёкий путь, чтобы достичь границы великой и волшебной, искрящейся на фоне мрака земли — Страны Женщин.

1986

ЗАЕЛДЫЗ

РАЗДУМЬЯ

Мне представилось, что после смерти все люди превращаются в деревья, травы и мхи — вырастают вечными растениями, одеревенев душой и телом почти навсегда.

Словно едешь в маленьком уютном автобусе, где горит свет, и будто бы должны разносить кофе со сливками, а за окном, бесконечно, словно телеграфные столбы, стоят безликие берёзы и осины, раскинув в разные стороны замёрзшие ветки, похожие на присоски у осьминога, наконец-то обретя долгожданную почву под ногами, в которую они вгрызаются корнями, как в живую плоть или в бессмертие.

Или идёшь лугами к лесу, где на опушке стоит дуб, будто многорукий Христос, возлюбивший крест свой, как самого себя, и осуждённый стоять здесь все свои столетья, чтобы потом стать гробом для меня.

Может быть, здесь растёт мой папа: вот эта травинка, примятая весёлой коровой и обрызганная грязью от мотоцикла,— я срываю её, сжимаю губами и медленно ложусь на поляну среди благоухания жизни во всех её проявлениях, чтобы смотреть на небо и жевать соломенное, почти насекомое тело обычных несчастных трав,— и мне всё равно в эту секунду, Наполеон ли это или Марья Ивановна.

И пусть наши дети будут счастливее нас.

1984

И В ДЕТСКОМ САДУ

Детки шли в детский сад. Весёлые, юбочные и плачущие создания, ведомые своими зачинателями за ручки, входили в зазаборный мир, полный лип и свежей листвы под ногами и над головой, где небо было таким же, как и везде,— определителем начала очередного дня в жизни, когда трудовая неделя, словно библейская повинность, висела над жителями дамокловой свечой новой недели, только лишь зажжённой устроителями жизненных путей.

Будто новая игра в старые игрушки — роли мам и пап, живущих на положении автоматов; когда никто не хочет повторять снова эти несвободные трепыхания и дети являются объектом для доместикации, обязательной в каждом единичном случае, ибо в каждом ребёнке сидит зверь и, злобно сощурившись, смотрит на отвратительный мир, в котором нужно проводить время, чтобы что-то делать, чтобы как-то просуществовать положенное, отбыть срок и вернуться в пустое блаженство, где можно *всё*, поскольку нет *ничего*.

О — конкретика куколок уныло наполняет все эти комнатки тщетными платьицами и ленточками; тесёмочки стягивают девочку со всех сторон, и она, напомаженная шоколадом, будто девка на выход, вертит головкой туда-сюда-обратно, ритмично подстраиваясь под детскую песенку про весёлую ребячью жизнь. Но мальчик с пластмассовым оружием — средоточие недовольства и узелков в резинках и гольфах; он — будущий взрослый, его скелет будет лежать в земле века, или же детёнышем его найдут следующие представители наших эпох; что же ты, мальчик, сердито смотришь на это огороженное пространство, будто тебе не всё равно, что будет с тобой в этот миг, будто ты можешь сейчас убить их всех? Спи спокойно, детка, атомная бомба — привилегия взрослых. Ты — голый, как новорождённый, внутри шортиков; ты можешь стряхнуть мир с печальных глаз, восхититься минутой, остановиться, хорошо подумать, засунуть кобуру за пояс, приласкать маму и быть нежным, как любимая женщина в момент зачатья; ты можешь научиться тому, что тебе говорят взрослые, собаки и птички, словно пред тобой не жизнь, а бессмертие.

Детская комната

как треуголка Будённого на палке, изображающей лошадь, как трусы до алых щёк, как хлорка земляничного мыла, вода на палубе, цвет цветов, конец жизни в саду, земля зла и сад в голубых листьях.

Синий куб стоит в углу — синий треугольник лежит под столом; обиженно скорчившись, дитя занято своей невозможностью жить по-старому; оно ждёт свободы; оно — в темнице убогого тела, которое не в силах за себя постоять; оно почти как старик, который верит в Бога и в то, что всё-таки он будет всем и получит право окунаться полностью в грязь и убивать себе подобных существ, которые сейчас перед ним, словно одушевлённые фигурки, которым нельзя причинить вред, узнав, что у них внутри.

Мальчик-бедняк! Тебя мучит предопределённость твоих состояний под солнцем; ты — плохой мусульманин, и бес берёт твою душу без труда; он предлагает тебе свободу пользоваться своим тельцем, как тебе хочется,— но знаешь ли ты продолжение жизни?

Девочка,

как бабочка, порхает в короткой юбке вокруг, плачет, как отринутая тобой любовница, но не любит никого; она обречена — она выйдет замуж в положенный срок, потому что является маленьким человеком со всеми смешными атрибутами; она несчастна, и детский сад, словно сумасшедший дом, скроет её безумие и несчастье; её оставили здесь со всеми в одиночестве, она кричит, словно умирает на некоторое время; её экзистенциализм чист и непорочен, как небо, за которым — космос, её игрушка — начавшаяся жизнь со своим концом; сможешь ли ты сложить конец и начало, детка?

Они все как распавшийся организм — эти дети, ползающие внутри детского сада, который гаснет, как лампочка, во время тихого часа, чтобы была возможность приготовить английский чай или молоко; они все обречены, они ужасны — стоит ли любить их?!. В глазах у одного застыло убийство, и, возможно, он убьет свою девочку, быть может, он будет добрым стариком с одной ногой и погладит внука по голове, когда тот не захочет быть больше никем. Вы убьёте — вы будете убивать, грабить и жечь, и доброта вам не поможет; вы видите синь чудес, пластику игрушек синего цвета и слёз, но тщетно,— ибо некто возьмёт вашу хилую руку и приведёт вас туда, куда нужно, чтобы совратить вас на начало жизни или конец свободы, что не совсем одно и то же, как вам представляется сейчас; и вы смотрите злыми глазами на всё, и на детский сад, и готовы растерзать окружающее, думая, что есть что-то ещё, но взгляд воспитательницы добр и участлив, и мне хочется рыдать, упав головой на её надгробие.

1986

СИГНАТЮР И НЕТ

Сигнатюр сделал движение ногой — он был мускулист. Он стоял на склоне, горели звёзды и кто-то жёг маленький костёр на траве. Ведомый своим настроением, этот Сигнатюр шёл вдаль, но там не было любви. Там только были ответы на всё, но остальное хранило тайну. Яков Сигнатюр прыгнул вверх и сказал звук «А».

«Вот так и Бог хранит в себе всё. Так и Бог не знает чего-нибудь. Так и Бог существует вместе со всем. Не желаешь того, что Он?»

— Это что ещё,— спросил Сигнатюр, сидящий в кресле мироздания,— что это значит здесь? Я жажду ответа на тайну, хочу видеть ясность в этом, хочу, наконец, знака оттуда. Я пришел сюда ночью, чтобы получить ответ.

Ответ и нет — два любимых у нас слова. Сегодня ты ищешь конец, завтра ты уже молодец.

— Существует ли звёздное небо надо мной и нравственный закон внутри меня? — спросил Сигнатюр здесь.

— Нет.

— Существует ли восьмое чудо света?

— Нет.

— Существует ли Бог?

— Нет.

— Существует ли что-нибудь существующее?

— Нет.

— Существует ли слово?

— Нет.

— Существует ли природа, или человек, или время?

— Нет.

— Существует ли старая женщина?

— Нет.

— Существует ли понятие, любимое мной?

— Нет.

— Существует ли Я?

— Нет.

— Существует ли нога вместе с носком?

— Нет.

— Существует ли глубокое раскаяние?

— Нет.

— Существует ли бешеная страсть, глубокое чувство, тайное неудовольствие, кайф, любовь, грусть от того, что ты ушла, родная моя; что дождь стучал в стену твоего одиночества и не было смысла раскрыть дверь; и рука застыла в жалобной позе, и свет погас и закрыл навсегда от тебя свет; и ты видишь свет, и свет ведёт тебя в эту страну, где есть всё, и сад готов быть твоим, словно это ты, хотя всё ерунда, и я — не Сигнатюр, я — Яков Сигнатюк, украинец, и мои мозги напряжены, как ситуация при рождении Вселенной, и я готов родиться опять.

— Нет.

— Существует ли холодное пиво?

— Нет.

— Существует ли что-нибудь?

— Нет.

— Существует ли юбка?

— Нет.

— Так будь же ты проклята, дурочка.

1988

ВОЙНА ДЕВУШЕК И КАЯ

Кай был добрым счастливым любимцем этого мира, и снег падал на его ресницы, когда он смотрел на солнце.

— Стой, ненаглядный!

— Кто это?

— Здесь.

«Однажды истина появляется там, где ей хочется. И нет препятствий для неё, и закон ей не указка. И только прелесть может оправдать её насилие над тобой. И только сладость может оправдать её перед судом истории. Истина — это женщина, и она любит воина, и она любит его больше жизни. О, как она любит тебя, если ты с ней!»

И Кай стоял в снегу и глядел в вечность, как будто видел сон, и он был нежным и ледяным, и он звенел от счастья быть здесь, и он пылал.

И Бог тоже был здесь и тоже был с ним, и Он тоже пылал, словно огонь, в котором сгорела Его собственная любовь. И только великие девушки не знали смысл и встали на другой путь и словно улетали от прелести, наполнявшей их.

«Только любовь освящает войну, только она освящает войну, только ты сам святой — только. Если ты Кай, ты должен стать таким. Люби их, бери их, плачь вместе с ними, смотри на снег! Аллилуйя, любовь моя, Ольсен».

— Стой! Кто идет?

В меховом полушубке, с автоматом на спине, Кай выехал навстречу зари на большой умной овчарке.

— Вы! Ты! Я не пущу вас сюда — будьте Там!

Девицы, потупив взор, смотрели вдаль. Они обнялись, они пели, они были похожи на цветной узор; одна шептала другой все тайны и смыслы, другая шила платье для себя самой.

Кай грубой рукой взял их и поднял к свету.

— Нет, Кай, здесь, Кай, вон, Кай, ты, Кай! Ты — кайф, Кай, ты — май, ты — очень нежный, очень любимый собачий лай. Мы возродим в тебе себя и нас, мы сделаем тебе всё, что себе, мы полюбим тебя, как нас.

«Только подлинное чувство способно убедить абсолютное существо в том, что его смысл не здесь. Только подлинная глубина способна изменить абсолютное существо. Только истинная вера способна сделать что-то новое с окончательным сотворённым абсолютом. Только моя жена Грета Кукрыниксы способна доставить удовольствие чему-то высшему. Только любовь способна возродить чувство меры. Только ты».

Кай методичными ударами избивал чудесных девушек.

Их лица превращались в синие, избитые лица, их ладони молили о помощи. Они обволакивали его своей сутью, своей смелостью, своей подлинностью, своим теплом.

«Оставьте меня, я люблю снег. Я люблю снег во сне. Я люблю его в своём сне».

— О, Кай!

— Вот тебе, гадина!

— О, пощади.

— Вот так вот!

— О...

И он сбросил их вглубь, и всё закончилось. И не было начала больше, не было ситуации. Кай стоял один, он был счастлив, он любил. Он был один здесь.

«Но было всё наоборот: ОНИ убили ЕГО, было всё наоборот. Это была истина, а ЭТО была жизнь. И было наоборот. Истина — это женщина, и она любит только себя».

1988

НЕСОГЛАСИЕ С ВАСИЛИСОЙ

Василиса, опустив забрало, ищет некий смысл произошедшего. Но что это за цвет, мерцающий вдали за углом? Она готова выхватить меч за правду, но никто не выходит. Она красива: чёрные брови, чёрные ресницы, белая длинная коса, взгляд, полный решимости и правды. С ней Бог. Мы тоже хотим, но нет — всё тщетно.

— Мы так любим тебя! Мы так хотим тебя! Мы так полны тобой!

И Василиса кричит туда зычным голосом, словно во тьму:

— Эй, выходи! Я тут стою всегда со шпагой, я буду биться и кричать!

— Мы не выйдем, мы боимся. Мы верим тебе, и мы верим в тебя. Но это наш страх, наша несостоятельность, это всё в нас. Наш мир в нас.

«Однажды тебя позовёт высшее, и ты раскроешь свою суть и взлетишь туда, вглубь, внутрь. Не бойся того, что происходит. Будь всегда готов к этому чудному концу! Слышишь — звенит колокольчик, скребётся мышь, поёт мир. Умри с миром. Однажды тебя позовут, ты должен бегом явиться наверх. Однажды тебе скажут: ты должен. В этом твой долг».

— Мы не придём, это обман, это не есть высшее, это просто ты — Василиса.

Василиса, гневно сжимая оружие, кричит всем:

— Вы не верите! Вы не любите! Вы — не вы. Вас нет. Только я могу что-то.

— Нас нет.

— Вас нет!

— Нет.

— О, придите на кончик меча! О, умрите со мной, я всего лишь одна. О, любите меня, я всего лишь с тобой.

«Это только твои дела, Василиса. Только дела, Василиса. Только дела, но не слова, когда начнутся слова, ничего не будет, Василиса. Мы любим тебя, любим именно тебя. Мы с тобой, только с тобой, без никого. Твой Бог — наш Бог».

— Мы не придём! Будь здесь наедине.

— Я похороню вас.

— Единственная!

— Вы никогда не придёте?

Ответ не даётся просто так. Ответ не даётся в руки. Ответа не бывает простого. Просто ответа нет такого, какого хочешь именно ты. Василиса Кикабидзе пускает печальную девичью слезу. Она хочет к себе в горы.

— Мы не выйдем!

— Пожалуйста, вот всё, что есть у меня. Я перенесу вас с собой.

— Это твой конец, Василиса. Оставь мир в покое. Мир покоится на нас — оставь нас в покое. Оставь, оставь это.

«Однажды тебя позовет высшее — не сопротивляйся. Отдайся этому, плыви по течению, это не смерть. Это высшее — не говори «нет». Расслабься, открой глаза, принимай всё легко. Это только высшее, ничего другого. Только оно. Только облик его, он другой. Это очень просто».

— Вы со мной? Вы здесь? Вы там? Вы есть?

— Мы остаёмся.

— О горе ВСЕМУ.

Василиса ЗАКОЛОЛАСЬ.

1988

ДЕНЬ, В КОТОРОМ Я ЖИВУ

«Just a perfect day...»

Lou Reed

За окном клубилась пыль, которую, наверное, вздыбила какая-нибудь большая машина; Алексей Магомет спал на раскладушке, уткнувшись подбородком в своё плечо.

— Вставай, придурок, я ухожу, у меня дела, десять часов!..— раздался наглый и недовольный всем его окружающим голос хозяина квартиры, в которой Алексей провёл ночь.

Он открыл глаза и безмятежно уставился на человека, стоящего подле него.

— А... в чём, собственно, дело? Ты обиделся? Что-то было не так?

Хозяин слегка смягчился.

— Да нет, всё было нормально... нормально... нормально...— тут он опять взорвался: — Но сейчас я немедленно ухожу, и ты тоже!!

— Замечательно,— совершенно спокойно произнёс Алексей и сразу же вскочил с раскладушки, весело улыбнувшись и хитро подмигивая. Он был одет в чистые голубые джинсы и белый свитер.— Ну, конечно же, я ухожу. Вот только кофе...

— Никакого кофе! — нетерпеливо буркнул хозяин.— Алёша, всё хорошо, но я очень спешу.

— Понял! — с обезоруживающей чёткостью в тоне сказал Магомет и уставился на японские наручные часы, лежащие на столике рядом с раскладушкой. Хозяин немедленно надел часы.

Через сорок минут Алексей Магомет стоял в кафе вместе с Сашей Донбассом и пил пиво из большой кружки.

— Представляешь, прикол,— говорил Донбасс,— у меня отчима посадили... Дали три года!

— За что?

— Он два года назад ехал в поезде и по пьяни проткнул столовым ножичком какого-то грузина... Хрясь его в бочину! Гы-гы!..

— Насмерть? — Магомет с нескрываемым наслаждением затянулся сигаретой «Кент».

— Да что ты!.. Так... ничего серьёзного. Всё равно: «злостное хулиганство». Сидит.

— А,— сказал Алексей.

— Пора деньги делать,— заявил Донбасс. — День-то какой замечательный! Пойдём?..

Они вышли из кафе, симпатичные и молодые. Стояла ранняя весна, вовсю светило солнце на безоблачном голубом небе, и было совсем тепло; и хотелось сидеть в кресле посреди улицы, курить сигару и безучастно смотреть на развёрнутый вокруг фон жизни, в котором люди передвигались с места на место, сменяемые другими людьми, и все были совершенно одинаковыми, поскольку ни один из них не был мной. Рука нищего застыла в протянутом жесте, милиционер был непоколебим, как вековой дуб, прыгающие на тротуаре девчонки противно ржали — всё было чудесно и восхитительно, словно бытие возникло только что.

Саша и Алексей не спеша шли среди прохожих, внимательно их оглядывая, но старались это делать максимально незаметно, как истинные шпионы, выполняющие опасную операцию, настолько же секретную, словно тайна любовной жизни молодой жены какого-нибудь пожилого миллионера в маразме. Наконец, оглядев двух медленно идущих холёных, гладко выбритых людей лет сорока в широких — зелёном и бордовом — пальто, Магомет шепнул Донбассу: «Беру» и тут же направился к ним. Донбасс пошёл следом, сотворяя на своём лице некое растерянное, как бы ничего не понимающее в нынешнем миге и месте мира выражение.

— Простите, пожалуйста, вы — москвичи? — коверкая свою речь под прибалтийский акцент, спросил Алексей, приблизившись к выбранным им людям.

Те остановились, бегло осмотрели Магомета, слегка бросив взор на вставшего за ним Донбасса, потом один из них, словно не уразумев цель вопроса, недоумённо ответил:

— Да...

— Мы с Альгисом из Таллина,— достаточно напористо, но вежливо сообщил Алексей.— Альгис!..

Донбасс немедленно отозвался, произнеся набор эстонских слов, смысл которых он сам не понимал.

— Я знаю, многие у вас... не любят... нас, эстонцев, говорят, мы — националисты...

Тут вмешался второй из выбранных людей, до этих пор как-то снисходительно, почти с лёгким презрением глядящий на Алексея:

— Да нет, почему же, я много раз бывал в Таллине, у меня там друзья, всё это — ерунда, я по себе знаю, что эстонцы — прекрасные люди, это вот сейчас...

— Так вот,— неумолимо продолжал Магомет,— просто... мы оказались в такой ситуации... Мы приехали на машине, поставили её на стоянку, у нас тут была выставка, мы — художники, мы... эта... немного отмечать?

Да? И приходим — машину забрали... ГАИ... Она сейчас на этой... Рябиновой? На Рябиновой улице стоит, требуют восемьсот пятьдесят тысяч рублей... А у нас только дома... У нас этих... русских денег... тысяч — правильно? Нету русских денег, надо позвонить в Таллин, чтобы прислали, телеграфный перевод шесть часов, ну... нам надо тридцать шесть тысяч двести рублей, чтобы три минуты позвонить домой... Или я, или Альгис оставят свой паспорт! Чтобы через шесть часов встретиться, отдать... Тридцать шесть тысяч двести рублей!.. Тридцать шесть тысяч двести рублей!.. Не могли бы вы... помочь... Или я, или Альгис оставит свой паспорт... Звонить... Таллин...

— Что им надо? — по-простому спросил один из слушающих всё это людей у другого.— Денег, что ли? Денег?

Тот как-то успокоенно, почти радостно кивнул. Между тем Алексей настаивал, зациклившись:

— Помочь... Оставим паспорт! Если можете помочь... Тридцать шесть тысяч двести рублей... Три минуты разговора... Таллин... Телеграфный перевод шесть часов... Отдаём через шесть часов...

Наконец человек в зелёном пальто почти раздражённо залез во внутренний карман, достал шикарное кожаное портмоне и вытащил оттуда бумажку в пятьдесят тысяч.

— На, братан, звони. Не думай — мы любим эстонцев! У меня друзья...

Алексей тут же схватил деньги и передал их Саше.

— Давайте... Я запишу адрес... Чтобы отдать...

Но человек в зелёном пальто только махнул рукой и скорчил добродушную физиономию: мол, пустяки какие, разве это деньги?

— Звони, звони. Привет Таллину!

— Спасибо вам большое...— начал буквально расшаркиваться Алексей. Но люди, словно довольные тем, что они так дёшево отделались, хотя было совершенно непонятно, от чего, и радостные тем, что удалось продемонстрировать широту русской души перед заезжими прибалтами, обычно дико заносчивыми и гордыми, поспешили тут же удалиться, напоследок попытавшись даже как-то криво улыбнуться Магомету и Донбассу, которые тоже в них больше совершенно не нуждались и также норовили побыстрее скрыться, имея с собой первый куш этого чудесного весеннего дня.

Они отошли несколько метров от этого места, и Алексей довольно расхохотался.

— Ну, как я их?!. Пять минут — пятьдесят тысяч снял. С первого же подхода.

— Классно,— согласился Донбасс.

— Ну что — пойдём бухать или ещё?

— Может, лучше сегодня вмажемся?..

Магомет задумался, прикидывая в уме.

— Ну, я не знаю... Тогда надо ещё, хотя бы столько же... И ещё... Выпить-то тоже хочется... Когда мы последний раз вмазывались?

— Когда-когда... Вчера!

— Тогда сегодня лучше не надо,— окончательно решил Алексей.— Нельзя подряд, а то подсядешь. Я лучше сейчас ещё денег сниму, поедим хорошо, выпьем, и мне надо, наверное, всё-таки что-нибудь домой привезти... Да: поеду сегодня домой, я не показывался уже пять дней. Жена, конечно, знает, что — работа, фирма, но надо появиться. Куплю ей цветы, в конце концов, сыну что-нибудь...

— Ну и правильно,— кивнул Донбасс,— тогда сегодня будем бухать. И... пойдём в Макдональдс! Ну что — ещё тогда надо. Раз с первого раза... Пошли?

— Пошли! — с азартом истинного охотника произнёс Магомет.

Окрылённые удачей, они убыстрили шаг, словно боясь упустить каких-нибудь особенно щедрых и доверчивых жертв своей «лапши на уши», которая приносила им, однако, достаточно стабильный ежедневный доход, превышающий заработок сегодняшнего среднего работника; в удачные дни бывало вообще откровенно *много* денег, когда просто было даже непонятно, куда их девать, а потратить их хотелось непременно сразу же, потому что завтра — новый день, новые дела, новые удовольствия, и они тогда с истинным удовлетворением замечательно потрудившихся членов социума покупали какие-то изощрённо дорогие напитки, блюда либо наркотики и с видом абсолютных королей-профессионалов свысока смотрели на замызганных нищих, которым проходящие мимо люди иногда совали сотенные или в лучшем случае тысячные бумажки, после чего они долго и противно крестились и вообще выглядели так, словно стеснялись самого своего существования, как будто их по дикому недоразумению кто-то родил, а смерть всё заставляет себя ждать и никак не очистит наш прекрасный, искрящийся ночными витринами и фонарями мир от таких откровенных уёбищ. Нет, воистину, Саша и Алексей были не таковы! Они были великими актёрами, тончайшими психологами, подлинными артистами жизни, которым люди давали деньги не за то, что они им капали на мозг, а за их изысканную прелесть, за настоящее соблюдение всех жёстких законов человеческого сотоварищества, за умение не просто выжить под открытым небом без статуса и богатых родственников, но выжить красиво, шикарно, с неимоверной лёгкостью каждой прожитой секунды и каждого пройденного отрезка пути, со смехом и достоинством, переворачивающими всё наизнанку: не мы выпрашиваем у вас деньги, но это вы с радостью даёте их нам!.. Конечно, не всё бывало столь приятно и далеко не всегда, но идеал был именно таким; а разве мы не живём тут для того, чтобы хотя бы на долю секунды соответствовать своему собственному идеалу? Ну конечно же это мечта любого слесаря: стать Слесарем С Большой Буквы, мечта любой проститутки, младенца, табуретки, наконец!.. И Магомет, и Донбасс часто испытывали миг совершенной самореализации, полной остановки пространства и времени, когда они были настолько абсолютно вписаны, впаяны в реальность — или же им это казалось, что одно и то же, — что этот момент можно считать за точку полного нуля, единственного начала Всего либо окончательного конца, когда решение задачи настолько совершенно равно самой задаче, что остаётся один лишь суицид в качестве способа хоть как-то вырваться из божественного вакуума и реального Рая, явленного вот сейчас, вот здесь, вот у нас.

Но никто ни о чём таком не думал; время продолжало идти вперёд; Алексей и Саша шли по улице и глядели на прохожих. Алексей «взял» любовную парочку, сказавшую ему, что они, дескать, рады бы помочь, но у них нет денег; затем какого-то иностранца, долго не вникавшего в речь Алексея и совершенно не оценивающего мастерство его акцента, который в результате просто взял и ушёл, ничего не ответив бедным «эстонцам»; наконец, была целая компания, выслушавшая все подробности Алексеевой «телеги», но один, видимо, особо хитрый человек из этой компании вдруг воскликнул: «На эстонца-то ты что-то не похож!», и они тоже все ушли; и в конце концов Магомет и Донбасс начали испытывать даже некоторое уныние, несмотря на присутствие в кармане Донбасса бумажки в пятьдесят тысяч рублей, которую он постоянно теребил рукой, словно всё время желая убедиться, что она в самом деле существует и их первая удача была не сном и не бредом, а истинным событием этого дня.

— Вот люди какие жадные!..— раздражённо пробормотал Алексей, отходя от очередной несработавшей парочки молоденьких бизнесменов в шикарнейших замшевых куртках.— Жмутся... Жалко какой-то полтинник дать...

— Да,— согласился Саша Донбасс.

— Подожди-ка, подожди... Это что там за баба? — спросил он, смотря на идущую им навстречу немолодую женщину с двумя полными хозяйственными сумками.

— Не знаю...— резонно ответил Донбасс.

— Ладно, пошли, беру.

Алексей быстро подошёл к женщине, так что Саша еле поспел за ним, и тут же, без запинки начал излагать ему свою «эстонскую» историю, которую настолько уже выучил, что мог уже почти не думать, о чём он говорит,— язык сам по себе излагал исковерканные нарочитым акцентом слова и фразы, а мозги в это время жадно таили в себе единственную бьющуюся в них, как пульс, мысль: «Даст — не даст... Если даст — то сколько... Если столько — хватит на это, а если столько — хватит на то...» Вдруг женщина перебила его:

— Да я всё поняла... Я — учительница литературы в школе, как раз сегодня получила зарплату, так что, считайте, что вам повезло... Нет, я люблю эстонцев, почему вы думаете, что мы все считаем вас националистами?.. Я была в Таллине, там этот... Верхний Город — красиво...

— Да, у нас — красивая... столица,— сладко улыбнулся Алексей.

— Но я вам могу только пятьдесят тысяч дать,— сказала им учительница.— Сами понимаете — сейчас платят учителям мало...

— Ой, да что вы, спасибо... Спасибо...— залепетал Алексей, первый раз за всё время своей деятельности ощутив некое подобие стыда.

— Берите, ой, вам же есть чего-то надо... Вы, наверное, голодные, вот, возьмите, тут у меня сухари,— женщина залезла в сумку, вытаскивая оттуда бумажный пакет,— а ещё вот вам бутылка ликёра, выпьете, я сыну купила, но ничего, вам-то сейчас нужнее...

Алексей был готов провалиться сквозь землю, но взял и сухари и бутылку.

— Спасибо... Спасибо... Спасибо...— заладил он, от полноты чувств чуть было не забыв изображать эстонский акцент и не зная, как бы поскорее отвязаться от этой щедрой учительницы, делившейся с ним буквально последним, что у неё было.

— Ну... Мы пойдём...— откровенно сказал он, передавая Саше пять бумажек по десять тысяч.— Спасибо! Спасибо! Расскажем... всему Таллину о вас...

— Да что вы! — застенчиво улыбнулась добрая женщина.— Я бы вас к себе в гости позвала, но у меня одна комната...

— Нет, что вы, что вы! — замахал руками сражённый таким благородством Магомет.

Он поклонился учительнице, и они с Сашей резко от неё отошли.

— Класс! — восхищённо сказал Донбасс.— Вот это да! Ну ты даёшь!

— Перестань...— укоризненно посмотрел на него Алексей.— Подонки мы с тобой!

— Ты что, это только что понял? — придав своему тону как можно больше удивления, спросил Саша.— Это же с самого начала было абсолютно очевидно.

— Ну уж нет,— не согласился Магомет,— одно дело, когда ты «разводишь» «новых русских» или иностранцев, для которых это вообще не деньги, а тут... Она даже бутылку для сына нам отдала! Святая! А мы...

— Да это всё равно,— жёстко проговорил Донбасс,— раз ты на это идёшь, раз ты используешь человеческую доброту в своих целях, ты изначально — подонок и гад, хотя я себя таковым не считаю. Но это без разницы — учительница или бизнесмен на «Вольво», всё равно ты их гнусно обманываешь... Ты уже — сволочь. Но мне это по фигу.

— Стоп! — вдруг воскликнул Алексей, тут же забыв про учительницу.— Ты сказал: бизнесмен на «Вольво», видишь?..

Саша посмотрел туда, куда незаметно указал Магомет; навстречу им медленно ехала серебристая «Вольво», внутри которой сидело двое немолодых людей в костюмах и шёлковых галстуках. Они откровенно смотрели на Алексея Магомета и Сашу Донбасса.

— Кто это? — изумился Донбасс.— Не нравятся они мне...

— Да какая разница!

Магомет уверенно подошёл к почти остановившейся «Вольво» и сделал знак, чтобы его выслушали. Человек, сидящий рядом с тем, кто за рулём, радостно улыбаясь, вопросительно посмотрел на Алексея, открывая автомобильное окно.

— Простите, пожалуйста, вы — москвичи?

— Москвичи,— степенно ответил тот.

— А мы — из Калининграда. Кёнингсберг!

На этот раз Алексей решил обойтись от поднадоевшего ему акцента.

— Ух ты!

Последовала характерная речь про машину на Рябиновой улице. Люди, кивая, внимали ему, всё так же радостно и как-то загадочно улыбаясь. Наконец, один из них запросто сказал:

— Конечно, я могу вас выручить. С кем не бывает! Только у меня деньги не с собой... С собой только тысяч сто... Отъедем два квартала — дам я вам миллион, только, вы же вернёте?

Алексей совершенно опешил; у него просто подкосились ноги от неожиданности, он даже стал задыхаться, словно случайно выбросившаяся на песчаный берег летучая рыба, перепутавшая направление полёта.

— Садись? — предложил человек, приоткрывая дверцу «Вольво».

— А... он? — вымолвил Алексей, указывая на Сашу, который неодобрительно глядел на него, словно предчувствуя какой-нибудь кошмарный подвох.

— Да мы быстро... Три квартала. Он тебя здесь подождёт. Ну что — нужны тебе деньги или нет? А то Рябиновая — сам знаешь, там вовремя не возьмёшь тачку и...

— Спасибо, спасибо,— пробормотал Алексей и сел в машину на заднее сиденье. Донбасс сплюнул куда-то влево и отошёл. «Вольво» тронулась.

— Сейчас заедем в наш кооператив...— говорил человек за рулём,— мы сами — медики... Триппер всякий лечим, наркоманию... Тебя как зовут-то?

— Саша,— почему-то ответил Алексей.

— А меня Коля. А это — Иван.

— Коля — хирург, а я — анестезиолог,— сказал Иван.— Но сейчас приходится заниматься всякой ерундой... А что делать — время такое!

— Да, уж время...— поддержал его Алексей, но тут Коля затормозил.

— Вылезай, приехали.

Они остановились у большого серого дома с большим количеством подъездов.

— Пошли, зайдём, дадим мы тебе твой миллион, не оставим в беде такого приятного парня!..— усмехнулся Иван.

Алексей нехотя вылез и пошёл следом за ними, всё ещё не понимая: всё это правда либо тут скрывалась какая-то неизвестная ему цель, очевидно, не сулящая ничего приятного. Может быть, он зря с ними связался?! Ну а вдруг действительно — миллион?.. Тогда ведь можно...

— Да ты не бойся, не бойся...— весело говорил ему Иван, слегка подталкивая сзади.— Не съедим.

Они поднимались по лестнице; стены вокруг были испещрены скабрезными надписями; было тихо и гулко от их шагов. Коля встал у железной двери и открыл её длинным железным ключом.

— Заходи.

Алексей встал у порога и вдруг умоляюще посмотрел на хирурга и анестезиолога.

— Ребята, да я здесь подожду, ничего...

— Да заходи, заходи... Какой пугливый! Как восемьсот пятьдесят тысяч просить...

— Да я ж только на телефон!

— Перестань...— укоризненно сказал ему Иван и опять слегка толкнул его в спину.— Сейчас всё будет.

Алексей зашёл, оказавшись в небольшой квартирке, внутри которой были какие-то медицинские аппараты и стеклянный шкаф с большим количеством таблеток и ампул. Посреди одной из двух комнат стоял столик с бутылкой коньяка и тремя рюмками.

— Ну, видишь, как хорошо? Коньячку выпьешь? Сейчас тебе Коля выдаст...

Иван подошёл к столику и ловко налил коньяк. Он взял одну из рюмок и протянул её Алексею. Коля исчез в другой комнате, закрыв за собой дверь.

— Ну... пей!

— Давайте чокнемся,— сказал Магомет, беря рюмку.

— Ну конечно... Коньяк — армянский, тридцатилетней выдержки... Понюхай, как пахнет, а?..

Алексей тут же опустил свой нос в рюмку, затем машинально отхлебнул маленький глоток.

— Отличный коньяк! — бодро сообщил он, допивая.— Только какой-то привкус... Или мне кажется...

— Да нет, не кажется,— крикнул из комнаты Коля.— Там просто одно из самых сильных и быстродействующих снотворных. Ты уж извини, брат...

Алексей похолодел от резко нахлынувшей на него волны ужаса.

— Как, что?..

Коля вышел из комнаты, сконфуженно улыбаясь. Иван стоял рядом с ним — свою рюмку он так и не взял.

— Понимаешь, дружище... Каждый по-своему деньги зарабатывает. Ты вот — из Калининграда... Или из Таллина, я уж не знаю... А мы, как я уже сказал,— хирург и анестезиолог. А много ли мы получим, леча всяких там... Вот если больной и богатый... Короче, у нас — срочный заказ.

— А... я...— уже чувствуя неотвратимое затуманивание в голове, заплетаясь, проговорил Алексей.

— Ты нас вообще не интересуешь. Возможно, ты — хороший парень, молодец, но раз ты сам пришёл к нам в руки... Ты-то нам не нужен. Но нам нужна твоя почка.

— Что?!! — возопил Алексей и чуть было не упал от давящей на него жуткой тяжести извне; во всём теле нарастала чудовищная слабость, перед глазами стали мелькать какие-то цветные вспышки, словно ему кто-то врезал по морде со страшной силой.

— Ну да, почка твоя, почка. Почка знаешь сколько стоит, если без очереди? А человек ждать не может, деньги есть...

— Да не волнуйся ты так,— совершенно разумным голосом сказал Коля.— Убивать мы тебя не собираемся. Ты можешь жить и с одной почкой; зашьём мы тебе всё в лучшем виде, я — хирург, Иван — анестезиолог... Заснёшь и проснёшься... Искать-то ты нас, конечно, можешь, но не советую... Охрана там знаешь какая?

— Ах вы!..— попытался закричать Магомет, но тут же рухнул лицом вперёд, ударившись подбородком о пол и чуть не откусив собственными зубами свой язык.

Сознание покинуло его, сражённое мощным лекарственным средством; всё вокруг заволокла серая тьма, и воцарилась бездонность небытия.

Когда Алексей пришёл в себя, он обнаружил, что лежит на скамейке, а над ним озабоченно и мрачно стоит еле различаемый в наступившем вечере этого дня Саша Донбасс, курящий длинную тонкую сигарету. Всё тело Алексея было словно из войлока; подбородок сильно болел, память медленно-медленно возвращалась к нему в виде каких-то картинок, смеха и шелестящих денежных бумажек. Тут он вскочил, напряжённо ощупав поясницу.

— Да не стали они тебе почку вырезать-то,— раздражённо сказал Донбасс.— Слушай, ты не помнишь, я с тобой вмазывался одним шприцом?

Безмерное облегчение обуяло Алексея, он сунул руку в карман, нащупав сигарету, весело ухмыльнулся и сказал:

— А как ты меня нашёл? Вот — подонки-то...

— Сейчас все — подонки. Ну что — вмазывался я с тобой...

— Откуда я здесь?

— Да я тебя принёс! — злобно проговорил Донбасс.— Я же пошёл за ними, подождал, они мне тебя и вынесли. Могли бы ничего не говорить, но раз так — предупредили. Да что я на них в милицию заявлять буду? Я сам — в розыске. Но они действительно хотели у тебя почку взять, и взяли бы, только...

— Какой я везучий! — радостно воскликнул Магомет.— Ну, гады... Дай прикурить-то...

— Да уж, ты — везучий. Они тебе анализ сделали, и — всё. Твои органы не годятся.

— Да ну...— продолжал улыбаться Алексей.— А что у меня, группа крови не та? Прикол, кому рассказать...

— Группа крови у тебя нормальная. У тебя просто СПИД.

Алексей не понял.

— Что-что?

— Что-что,— передразнил его Саша.— СПИД у тебя, понятно? Ты — ВИЧ-инфицированный. Соответственно, твоя почка на хрен никому не нужна. Вот я и вспоминаю: вмазывался я с тобой одним шприцом или нет. Завтра же пойду проверюсь!

Алексей Магомет дико вздрогнул, словно уцепился рукой за оголённый провод под током.

— Это — шутка?..— тихо спросил он с надеждой.

— Какая, на хрен, шутка! Почка-то у тебя при себе? Ладно, пока, я пошёл, завтра схожу проверюсь. Боюсь!

Алексей привстал, раскрыв рот, но Саша Донбасс немедленно рванул прочь от этой скамейки и тут же пропал в окружающей их вечерней темноте.

Магомет остался один с незажжённой сигаретой в руке.

— Погодите-погодите,— сказал он вслух сам себе.— Это что, и есть удача этого дня?.. И жизни... У меня — СПИД? Абсурд, бред. Но почка-то на месте? Может, это ещё не точно?!

Потом он вдруг нервно расхохотался, до выступивших горячих слёз на своих глазах. Вокруг умирал день, убитый, уничтоженный вечером и неотвратимой ночью; красивая луна безмятежно застыла на звёздном небе, где-то шествовали прохожие, озабоченные самими собой.

— Ну ладно,— злобно проговорил Магомет, сжимая у себя в кармане кулак.— Я люблю этот вечер так же, как любил этот день! У меня — СПИД?! К чёрту! Надо срочно кого-нибудь заразить.

И он насмешливо посмотрел на тени идущих впереди людей, абсолютно не знающих о его существовании, которые шли по своему собственному пути и были все одинаковыми, поскольку ни один из них не был мной.

1997

ЗАЕЛДЫЗ

Хек провел в жилище учителя Софрона четыре года, изучая искусство нравственности — шэ. Он просыпался с восходом солнца, выходил на воздух в любую погоду вместе с учителем, слушал его наставления и повторял их. К концу четвёртой зимы он знал всё, известное учителю. Он собрал свои вещи, встал на колени, коснулся носом ножки стула учителя, как того требовал обряд, и промолвил:

— Теперь я покидаю вас. Нет слов, чтобы выразить вам свою благодарность и восхищение.

— Не говори так,— улыбаясь ответил Софрон и сделал знак, чтобы Хек поднялся.— Шэ находится во всём. И если все существа овладеют им, мир лишится своих плохих черт. Это я должен благодарить тебя за прилежание и успехи. Надеюсь, ты навсегда запомнишь мои наставления и передашь своё искусство другому достойному. А сейчас я хочу поведать тебе ещё кое-что, пока ты не покинул меня навсегда. Помнишь, я в самом начале учёбы обещал тебе в момент нашего расставания сообщить нечто самое важное?

— Да, учитель,— ответил Хек, замирая.

— Так вот. Слушай. Четыре года я учил тебя искусству нравственности; и все эти четыре года мы толковали о великом принципе «заелдыз» — «не убей». Сейчас ты, наверное, уже лучше меня сможешь рассказать о различных человеческих вопросах и проблемах, которые, как оказалось, словно по волшебству легко разрешаются этим принципом. Но я хочу тебе сказать о другом. И по-другому. Я хочу сейчас обосновать для тебя «заелдыз». И более того, я говорю тебе: «заелдыз» — это не вся правда. Я даже скажу так: ты можешь убить.

Наступила пауза. Хек поднял изумлённые глаза:

— Я не ослышался, учитель?

— Нет! — торжественно проговорил Софрон.— Я знал, что ты будешь поражён. Я повторю: ты можешь убить. И вот когда. Ты можешь убить, когда ты абсолютно уверен в том, что нравственная суть этого убийства выше ценности жизни убиваемого тобой существа и всех последствий этого убийства. Как мастер шэ, ты должен безошибочно определять это. Вот обоснование «заелдыза».

— Я... Я не совсем вас понял, учитель,— пробормотал Хек.— Ведь вы говорили, что «заелдыз» не требует обоснования.

— Сейчас я открыл тебе последнюю истину шэ. Объяснить ее по-другому нельзя. Если ты сможешь связать все наши уроки с тем, что я сейчас тебе сказал, ты станешь мастером. А теперь иди.

Удивлённый, Хек покинул учителя Софрона.

Через восемь лет Хек был одним из самых известных мастеров шэ в стране. Даже государственные люди обращались к нему. Он женился на прекрасной девушке, и она родила ему сына. Когда сыну исполнилось три года, он неожиданно сильно заболел. Маленький и беззащитный, он лежал в своей кровати и почти не дышал. Болезнь не могли вылечить ничем. Отчаявшись, Хек пригласил знахаря.

— Эта болезнь связана с вами,— сказал знахарь, осмотрев мальчика.— Но я знаю, что поможет ему. Его вылечит сердце красной змеи, которая живёт у водопада. Прикажите, и я доставлю ее.

— Нет,— сказал Хек.— Если для каких-то целей мне нужно погубить живое существо, я не могу складывать с себя ответственности за это. Я сам должен достать змею.

— Вы легко найдёте её там,— сказал знахарь, поклонившись.

Уже на следующий день Хек отправился в путь. Достигнув водопада, он стал высматривать змею, но потом задумался.

«Тот ли это случай, о котором говорил учитель Софрон? Ты можешь убить, когда ты абсолютно уверен в том, что нравственная суть этого убийства выше ценности жизни убиваемого тобой существа и всех последствий этого поступка. Мне кажется, я вправе убить змею. Разве жизнь моего сына не выше жизни змеи? Да, но почему тогда Софрон говорил, что это — обоснование «заелдыза», главного принципа шэ, «не убей»? А, понял! Как раз, когда я совершенно убедился в оправданности убийства, именно сейчас я и не должен убивать, просто потому что «заелдыз!», и все. Что ж, это действительно очень мудро и в духе шэ. Я, кажется, связал наконец последние слова Софрона с его предыдущими уроками. Но неужели же жизнь моего сына не стоит жизни какой-то вонючей змеи?! Я всё-таки убью её».

Приняв это решение, Хек улыбнулся, достал небольшой нож и радостно стал смотреть на водопад. Но тут из-за камня выползла красная змея и укусила Хека в ногу. Сильнейший яд немедленно начал свое действие. Через четыре минуты Хек был мертв.

1989

ИСКУШЕНИЯ

Исполненный божественным мужеством и милостью, я отправился и сразу же вступил.

Вначале был некий полумрак, какой-то легкий смрад, но почти неслышный — так пахнет с кухни слегка прокисший кипящий суп, затем возникли своды большого яркого храма, где стояли люди и священник в красной ризе пел что-то на непонятном языке и вздымал вверх белые большие ладони. Я увидел алтарь — он ветвился, запутывался предо мной, цвёл какими-то цветами, золотом, ликами, образами девушек, трав, святых, нет... Что же это?.. В алтаре, во всём его обличье вдруг причудился мне огромный, обращённый мордой кверху медведь. И всё ревело вокруг, и все люди ему молились, и священник пел, и пел, и пел... «Сгинь!» — шепнул я, сжав за пазухой крест.

Возникло небо; алтарь, словно свеча, стекал вниз, дымясь, расплавляясь, исчезая. Я стоял на вершине, я был счастлив и велик.

Подо мной журчала река, надо мной сияли солнце и снега. Я был один, я был абсолютно один! Я сел.

Прошли тысячелетия, вечности, мгновения. Я сидел, всё исчезало, я был недосягаем, всё было во мне, и всё было мною. Высочайшее чудо было заключено в единственном мне — и великий смысл, и прекрасность ничтожества, и благость бытия. Всё пропало — горы, реки, долины. Один только миг, замыкающийся сам на себя, одно лишь блаженство без блаженства, я без я, всё без всего. «Сгинь!» — шепнул я, сжав за пазухой крест.

Я тут же стал мускулистым, рослым, старым, красивым. Я сидел у камина, ко мне склонялись друзья. Я должен был их отравить — в их бокалах был яд — и потом сам умереть с улыбкой и благодарностью за свою жизнь. Мои истинные наследники уже занимались процветанием нашей страны, войной, счастьем, приключениями. Я поднял своё морщинистое лицо. Невыразимый уют пронизал всего меня. «Сгинь!» — шепнул я. И сжал за пазухой крест.

Я вновь был молодым и восторженным! Столько всего предстояло мне... Сколько? Ничто мне не предстояло. Я был безвестным музыкантом в сумасшедшей стране, я курил наркотик и хотел есть. Ко мне зашла моя знакомая.

— Привет! — сказала она, её звали Софья.— Угости?

— Сгинь! — отвечал я, сжав за пазухой крест.

Она исчезла, а я остался один в своём ужасном одиночестве, на своей кухне среди пустых шкафов, кастрюль, бутылок. Среди тысячи проблем и вопросов, зависти и неудовольствия. «Сгинь!» — прошептал я.

Я падал в бездну, плыл наверх, сражался на револьверах, пёк чебуреки и отдавался матросам в городе на букву О. Меня били цепями и кулаками, расчленяли и сажали на трон. Я собирал бутылки утром у магазина и сидел в конторе, и — молился, молился, молился всем богам, которые только существуют, во всех монастырях. «Сгинь!» — сказал я и сжал крест.

И однажды мир словно переломился пополам и уста мои открылись. Горние вершины ждали меня, и искупление настало. Я вознёсся и предстал перед высшими очами. Христос склонился надо мною, осеняя меня последней и высшей благодатью.

— Ты отринул весь Мой мир! — произнес он мне.— Войди же ко Мне, в Мое царствие, достойнейший!

— Сгинь! — сказал я.

— Чего же ты хочешь? Некое абсолютное ничто?

ЗАЕЛДЫЗ

Я вытаскиваю из-за пазухи крест, вытягивая его перед Христом, и жду, жду, нетерпеливо жду, когда же Он исчезнет.

1992

ЕЛЬЦИН В ЗАЛУПЕ

О нет, он был там, среди высочайших кустов благовония моих цветов, у ног зари пальм в журчащих водопадах великих садов твоих зорь, у тьмы поклонений странным существам, словно герой полуденных призывов и тайн; он был, как царь и изнеженный принц, и требовал гнёта и чуда. Он восстал среди восторженных клятв советников божеств, будто небольшая фигурка между тобой и мной, как знакомая благодать испытанных слёз, как восторг причуды. Он возглавил Соединённые Штаты, и всё королевство встало, словно маленькая часть кожи, откликнувшись на его ауру. Он был великолепен, словно мудрый старик, и глубок, как колодец с написанным детским словом. Он путешествовал и требовал денег, и все князья слали его на зуб, и вся страна приветствовала его рык, и все гористости осязали его мощный зоб. Его грудь была мясистой и двоесосковой, словно мельчайшая полоска зверей в лесах мечты, она пухло громоздилась на кровати, напоминая убор принцесс, и она была изящной, как ножечка шахматного стола. Эти две загогулины из плоти, висящие на родном теле, притягивали к себе, будто заслуженный плод; я хотел лакомиться, я хотел кокос трусов!..

Он падал, политически застёгивая торс, старался выставить ручную массу, оберегаясь от пыхтящих преследователей, механически обмакивал кисть в тушь государства, пытался быть первым у меня, стыдливо разукрашиваясь и запудривая испуг, схаркивал, кокетливо поправляя лямку маечки, снисходил и грустил. Я встретил его в кружевах на улице, как президента своего пупка, он грубо помахал мне в ответ, послал воздушный поцелуй и засунул свою ногу в отверстие небольшой ямки. Я встал перед ним, как Вселенная вместе с Богом и собой, и гнусно захихикал, пытаясь ударить по его икре хворостиной.

Ельцин. Я в нос путч, дуче я знал лучше! Я помню великий миг моего приёма диэтилтриптамина под звёздными небесами в канун смерти вашего короля и его блядей, когда я занюхал один маленький хозяйственный раствор, стоящий у ног моего предводителя, развалившего наш строй. Страны топорщились перед моим взором, всё перестало иметь смысл. Я был всего лишь президентом великой страны, которая на меня молилась, почёсываясь между ног, как сказал Гоголь, и я ощущал блаженнейшую эйфорию своей задачи, выражающейся в моём пищеварительном сибирском тракте. Я отдал приказ сделать меня женщиной и уменьшить, чтобы я чуял пот и величие, и я теперь в залупе твоей как непонятно кто. Я ещё не доделан, я хочу тайн, тайн, тайн, тайн!.. Дай мне своих брызг, засунь меня. Я согласен на победу над миром, все немцы за меня. Поколи-ка меня, может, я верну маленький Крым!

Я расстегнул его лифчик, он не сопротивлялся. Я просунул свою ложноножку в его промежность, он склизко хмыкнул, как мотыль, на который ловится уклейка. Я повернул его к себе — он был прекрасен, как герой, он был мисс, он был восторг, великолепие телесное!.. Его ноги скрестились, хохолок заволокла краска румянца. Его бельё было жёстким и пахло моей мечтой. Небольшой зад находился ниже его спины — о, Ельцин!.. Я приблизился, я затаился, я пытался взять... Но: он был у меня в залупе, и он там так застрял, что никто не смог бы его вытащить. Я посмотрел на это трепыханье, на эту потугу, на лёгкий свист и застегнулся. Пусть молитва с тех пор осеняет мои дни.

1991

«...И я подумал: так ли уж это важно: с кем и где ты провела эту ночь — моя сладкая N?!»

М.Науменко

1

Он лежит на своей красной кушетке и тушит четвёртую сигарету в пепельнице. Очень скучно — отыграл Ван дер Грааф на магнитофоне, и импульс печальной музыки еще живёт в теле, хотя некуда его проявить. Вчерашнее похмелье уже прошло, и он вдруг вскакивает на пол, потом опять падает на кушетку. Потом встаёт, берёт гитару, играет ре мажор, наслаждается печалью, закуривает снова. Телефон безмолвствует. Он хочет женщину.

Где-то вдали живёт бабушка, кипятит чай, шамкая ногами по кухне. Он думает выпить чашечку чая с лимоном, идёт на кухню, потом возвращается, увидев, что чайник ещё не вскипел. В горле начинает першить, и он понимает, что перекурил. Вытряхивает пепельницу вниз с балкона — еще не потухший свежий окурок устраивает прощальный фейерверк красных искр, пока летит вниз. Он закрывает балкон, садится на кушетку, машинально берёт ручку, пишет английские слова, ставит вопросительный знак, берёт книжечку «Дао любви», наслаждается сексуальной поэтикой, зевает, закуривает.

Потом включает магнитофон, ставит «Аквариум», выключает свет, хочет заснуть, чувствует скуку и печаль, потом зевает, встаёт и звонит по телефону.

— Мне так скучно,— робко говорит он.

Его друг отвечает усталым голосом:

— Я сплю, денег нет, выпивки нет, я отдыхаю. Завтра будет новый день.ё

— Я хочу умереть,— говорит он.

— Фигня. Хочешь — приезжай ко мне, но у меня ничего нет.

Он смотрит на ночь, на огни, на пустоту. Он одевается и уезжает. Сквозь ночь он идёт к метро, напевая грустную песню. Ему смешно, он садится в такси, едет довольно далеко, выходит, звонит, наконец, в нужную дверь.

Друг открывает, щурясь от зажжённого им света. Он просит не шуметь, не будить коммунальную соседку. В комнате бардак и пустые бутылки. Друг — художник, и он уже спал.

— Что это такое, Митя? — спрашивает он своего друга, видя белые таблетки на столе.

— Циклодол. Слушай — неужели ты его сейчас будешь?

— Мне плевать! — говорит он так, чтобы это выглядело красиво, и съедает семь штук.

Друг ложится спать, он же сидит, радуясь нарастающему приходу в теле, и через полчаса тоже ложится, но заснуть не может. Он смотрит на пол, на тёмный ночной паркет, не понимая, как он оказался здесь; вдруг видит бегущих мышей — десять, пятнадцать, двадцать... На некоторых даже можно различить серые отдельные волоски. Он понимает, что почему-то любит их сейчас; протягивает руку, чтобы погладить хотя бы одну, но гладит паркет. Он вспоминает, что это галлюцинация, смеётся и засыпает.

2

Хмурое утро, час после полудня. Его зовут Андрей Левин. Его друга зовут Митя Синявский.

Они просыпаются после вчерашней (или позавчерашней?) бурной ночи. Может быть — просто так. Митя весел, Андрей почему-то чувствует себя отвратительно. Митя подпрыгивает в постели, напевает какую-то революционную песню типа «Смело, товарищи, в ногу!», идёт в ванную. Андрей небрит, глаза мутные. За окном моросит характерный дождь, солнца вообще не видно. Митя возвращается, вдруг начинает делать утреннюю зарядку.

— Ты с ума сошел?

— Я сейчас пойду на работу.

— А где ты работаешь?

— В Госкомиздате.

— И что ты там делаешь?

— Ничего.

Митя достает кошелёк из кармана висящей на стуле джинсовой куртки. Открывает. Десять рублей.

— Мало,— говорит он.— Не пойду на работу.

Андрей вытаскивает из кармана пять рублей.

— Я всего лишь бедный студент.

Его шатает, он вспоминает про циклодол. «Плевать!» Они идут за вином. День начинается интересно.

После первых двух бутылок «Эрети» они перестают говорить о христианстве и начинают говорить о нашем поколении. Потом Андрей падает на матрац, лежащий прямо на полу, и отключается. Митя звонит по телефону, собирает полные бутылки и уезжает, закрывая комнату на ключ. Его друг спит и видит золотые сны.

3

Вечером он просыпается. В комнате темно. Он осматривает предметы с чувством наслаждения предметами. В грязных бокалах отражается свет вечерних фонарей. Легкий ветерок, дующий из открытой форточки, ворошит пепел в пепельнице. Он подходит к серванту посреди комнаты, смотрит на своё отражение, говорит вслух:

— Я — Андрей, Андрей, Андрей. Сейчас Андрей.

Ему неприятно, он словно хочет утвердиться в своём имени, как будто его кто-то оспаривает. Потом он вдруг вспоминает, что любит свою однокурсницу. Ему становится очень грустно. Задумчиво он садится в кресло и вдруг обнаруживает бутылку вина. Он наливает себе стакан, пьёт. Он чувствует себя несчастным. Он наливает новый стакан и опять пьёт и опять чувствует себя несчастным.

4

Нет, он не любил её. Ничего этого не было, он снова у себя, снова красная кушетка, всё позади. Он никого не любит. Он весел. Он идет в ванную, принимает душ, ложится в широкую кровать, засыпает. За окном полнолуние, и побочный отражённый свет не мешает ему. Он помнит, что принимал недавно циклодол. Это выпад против судьбы — он принимает циклодол, он убивает свою душу, он хочет её вырвать из сердца. Он слушает «Секс Пистолз», танцует у Мити в комнате с какой-то девушкой, обнимает её, но не любит.

— Я тебе нравлюсь, Андрей? — говорит она ему в темноте.

— Нет, ты мне не нравишься. Мне нравится Сладкая Энн.

Но есть лишь красная кровать и тьма. Здесь, где тлело чьё-то дыхание, я сплю. Андрей Левин засыпает в полном спокойствии.

5

Сладкая Энн выходит из дома в юбке, чёрных колготках и с сумкой через плечо. На ходу она красит губы в вишнёвый цвет, она брюнетка. В её сумке лежат ксерокс Хайдеггера и папиросы «Беломорканал». Итак, её зовут Сладкая Энн. При знакомстве она говорит:

— У меня сладкое сердце!

Она танцует рок-н-ролл на вечеринках и любит пить коньяк из горлышка. Ей девятнадцать лет. Когда за ней начинают ухаживать, она говорит:

— Вы хотите меня трахнуть, юноша? Так и скажите.

69

Однажды на каком-то вечере, где была дискотека и студенты пили вино, она сидела за столиком с подругами и двумя друзьями, а рядом в кресле сидел Андрей Левин, потный и тоже слегка пьяный. Сладкая Энн плакала и читала стихи. Потом посмотрела на всех остальных людей, которые танцевали, разбившись по парам, и сказала:

— Я хочу над всеми стебаться!

Андрей Левин влюбился в неё.

Она выходит из дома, идёт в институт. Она смотрит на церковь, крестится и достаёт папиросу. Она записывает лекции чернильной ручкой и рисует садистские рисунки в тетради. Она считает, что, по Фрейду, это олицетворяет её похоть. Когда звенит звонок и кончается лекция, она идёт в туалет и там красит губы. Друзья кричат ей со двора:

— Эй, Сладкая Энн, пошли пить портвейн!

Она выходит, ей дают стакан. Она садится прямо на землю, скрестив ноги.

— Я — хиппи,— говорит она.

К ней подходит Андрей Левин.

— Девушка,— говорит он ей,— я люблю вас!

Она очень удивлена.

— Юноша, зачем же меня так стремать... Выпейте портвейна, успокойтесь и никогда больше не говорите такого!

— Простите,— говорит Андрей Левин.— Этого ничего не было!

6

Андрей Левин ходит по своей комнате, играя на гитаре. Потом включает магнитофон. Играет Битлз. Андрей начинает плакать. Он звонит своему другу Мите.

— Митя! Я люблю её!

— Скажи ей об этом.

В это время Сладкая Энн и её подруга Наташа идут в бар и пьют коктейли. Они танцуют с бородатыми людьми. Родители Сладкой Энн уехали на дачу. Компания пьёт за одним столом, потом все берут вино с собой и идут по ночной Москве, разговаривая. Сладкая Энн прыгает, хохочет и говорит:

— Шизофрения — это когда лопается шарик с оранжевой жидкостью, который расположен во лбу, там, где третий глаз. Он есть у всех людей. И если он лопается, это сумасшествие. Красивая сказочка?

Она берёт под руку бородатого человека.

— Ну, куда пойдем, ко мне?

— Если можно.

— А где ты будешь спать?

— А где можно?

— Можно со мной, можно в другой комнате.

— Я бы хотел с тобой.

Бородатый улыбается.

— О'кэй!

Сладкая Энн пьёт вино, и компания идет дальше. Наташа уезжает домой на такси. Её кавалер куда-то исчезает. Сладкая Энн приходит, стелит постель, раздевается. Потом гасит свет, ложится. Бородатый ложится рядом. Через две минуты Сладкая Энн уже стонет от удовольствия, крепко обнимая спину бородатого. Он поднимает лицо и смотрит в стену, выпучив глаза, как рак.

— Клёво? — спрашивает он.

— О...— только и говорит Сладкая Энн. В это время звонит телефон.

— Чёрт бы его брал! Придётся подойти, он всё равно уже обломал весь кайф!

Энн идёт в тёмную кухню, берёт трубку. Звонит её однокурсник Андрей Левин.

— Сладкая Энн! — говорит он ей.— Я люблю тебя!

Она сидит на стуле, положив ноги на другой стул. Она всё ещё учащённо дышит.

— Милый,— говорит она ему.— Я тебя тоже ужасно люблю! Я хочу тебя... Повтори, что ты мне сказал!

— Я люблю тебя.

— Милый мой, я — старая развратная женщина. Забудь обо мне. Ты... такой хороший. Не надо.

— Я люблю тебя.

— Это невозможно! — кричит Сладкая Энн, бросает трубку и идёт в свою комнату, где ждёт бородатый.

— Бедный мальчик,— говорит она бородатому, обнимая его.

7

Любви нет. В институтском общежитии сидело двадцать человек в комнате одной девицы, справляя её день рождения. Андрей Левин был пьян и сидел рядом с дагестанкой. Они говорили о наркотиках.

— Ты пробовал героин в таблетках? — спрашивала дагестанка.

— Нет.

— Дикий кайф!

Потом разговор перешёл на проблему нужности обрезания у мужчин.

— Говорят, что это лучше,— сказала дагестанка.

— Не знаю.

Они стали танцевать.

— Ты прямо родной человек,— сказал Андрей Левин дагестанке, почувствовав родство душ.

— А ты только заметил.

Они вышли в коридор. Поцелуй, потом рука ищет её грудь, потом лезет под юбку. Всё, как всегда.

— Пошли в мою комнату,— говорит дагестанка.

Но вино взрывает кровь Андрея. Он отступает на шаг и вдруг говорит патетическим голосом:

— Я не могу! Дорогая моя... Я люблю Сладкую Энн!

Потом заходит в комнату, залпом выпивает шампанское и задумывается.

Потом он засыпает в кровати у какой-то длинной очкастой девушки, которая раздевает его, раздевается сама, ложится рядом и говорит, что хочет с ним жить. Он смеётся, потом трахает её. У неё тяжёлое дыхание; изо рта пахнет перегаром и табаком. Он отворачивает нос, потом начинает получать удовольствие и даже готов как будто слизывать с неё пот; почему-то она очень потная. Потом ему стыдно, он спит. Посреди ночи он просыпается, подходит к окну. Ему плохо, он блюёт вниз. Потом ему лучше. Он смотрит на тьму.

— О, моя Сладкая Энн!

Утром он просит высокую девушку отвернуться и долго ищет свои трусы. Потом едет домой спать.

8

Он сидит в гостях у Мити, Митя болеет гриппом. В комнате запах масляных красок и больницы. Митя пьёт антибиотики.

— Я люблю её,— говорит Андрей Левин.— Она гениальна. Она как Секси Сэди у Битлз.

— Выкинь её из головы,— говорит Митя. — Тёлок полно, а любить всяких шмар совершенно не нужно.

— Ты ничего не понимаешь! Она просто не знает меня! Я — такой же, как и она! Если бы я был бабой, я бы жил точно так же!

Митя устал слушать всё это.

— Послушай, Левин. Позвони ей, пригласи её в гости и всё. Зачем нужны эти толстовские проблемы? Ведь она трахается чуть ли не со всеми. А ты её любишь!

— Да.

— Ну и дурак.

— Может быть. Да, я — дурак. Но я люблю её!

9

День рождения у девушки Светы. Два человека сидят на корточках, медитируют. Один говорит:

— Пистолет!

Другой говорит:

— Коммунизм!

Девушка Света спит в другой комнате. Сладкая Энн пьёт коньяк, подходит к Андрею Левину. Она приглашает его на танец. В это время на кухне пять человек сидят на табуретах и ждут, пока шестой забьёт два косяка с травой. Их лица серьёзны, они ждут своего удовольствия.

Андрей Левин хочет поцеловать Сладкую Энн, но она не даётся ему.

Она ускользает, точно рыба из объятий щучьей пасти; она отклоняется от безгрешного прикосновения любящих губ, которые жаждут почувствовать её помаду; она улыбается во тьме, обхватив плечи партнёра своими маленькими руками; играет вальс, и шампанское узорчато сверкает в бокалах под светом настольной лампы, на которую набросили одеяло, чтобы был интим.

Андрей Левин, точно лучший мужчина мира, склоняется над губами Сладкой Энн, она плачет, и он целует её в щеку. Они начинают игру снова.

На кухне курят анашу. Один бородатый студент, набрав в легкие как можно больше воздуха, в один присест выкуривает полпапиросины. Все недовольны и с уважением смотрят на него. Андрей Левин заходит на кухню.

— Что это? — спрашивает он.

Все криво улыбаются, потом кто-то передаёт ему косяк. Андрей делает три затяжки. Потом идёт в комнату, садится в кресло, закрывает глаза. Он забывает своё имя, свою мать. Он путает эту комнату с другими комнатами, которые он видел в своей жизни. Играет Эмерсон. Андрею представляется, что он — царь Вселенной. Вселенная представляет собой чёрный небосвод, как в Планетарии, на котором строгими прямыми рядами располагаются пятиконечные звёзды. Андрею страшно.

Он открывает глаза, чувствует себя плохо. Идёт к Сладкой Энн. Говорит:

— Сладкая Энн, я хочу тебя.

Она отмахивается от него. Он опять садится в кресло, засыпает и смотрит какие-то кошмары. Потом наступает утро, все спят вповалку, Сладкая Энн сидит на полу по-турецки и, зевая, читает трактат Витгенштейна. Встаёт Света и начинает искать сигареты.

10

Проснувшись у себя дома, Андрей чувствует страх, печаль и грусть. Он лежит в кровати, он устал и не может больше наслаждаться каждой секундой этой прекрасной жизни, которая цветными сумерками любовных надежд тлеет в сверкающих женских зрачках, когда они смотрят тебе в лицо, вызывая твою сущность к жизни, словно некий медиум, приглашающий для беседы мертвеца, которому в принципе наплевать на проблемы живых. Андрей Левин встаёт, ставит Битлз. Потом ложится и наслаждается своей несчастной любовью. Звонит телефон. Он поднимает трубку. Ему звонит Сладкая Энн.

— Любимый, куда ты делся? Пошли на выставку художников.

Он обрадовался и отказался.

— Ты — молодец. Только так можно завоевать женщину! Тебе привет от Гены! Ладно, пока, до встречи. Не грусти, всё будет хорошо.

Он выключает Битлз и ставит Роллинг Стоунз.

11

Иногда Андрей Левин рефлектирует. Он говорит:

— Да люблю ли я её вообще?! Как можно любить эту нецензурную, грязную, развратную, вечно пьяную или торчащую тёлку? Тьфу! Впрочем, прелесть женщины в том, что она — падший ангел. Я должен спасти её. Я хочу погладить её по голове. Я хочу только танцевать с ней. Я хочу разговаривать с ней о сексе, сидя за столом во фраке. Любовный объект — это фетиш. Какая разница, кого любить?! Мне нравится её походка. Мне нравится её сумка. Мне нравятся её чёрные колготки! Нет — я люблю её чёрные колготки!

Он спешно набирает знакомый номер.

— Энн! Подари мне свои чёрные колготки! Я люблю их!

Сладкая Энн на другом конце провода смутилась.

— Да что ты говоришь... Не надо. Впрочем, ты — молодец. Ты — без комплексов.

— Что ты делаешь?

— Я захавала пачку кодтерпина и читаю книжку Берроуза.

— Ну и как?

— Хорошая книжка.

— Приходи в гости.

— Я не могу. Моя мама заболела. Я пою ей песенки под гитару.

— Ну ладно. Но если надумаешь — отдай мне свои колготки.

Он смеялся еще минут пятнадцать после окончания беседы. Потом лёг спать.

12

День рождения у девушки Кати. Играет диско, все пьют «Салют». Поздно ночью пьют чай. Какой-то Сергей принимает душ. Девушка Наташа пришла со своим двухметровым любовником. Катя говорит:

— Андрей, сыграй нам песенку Битлз!

Андрей берёт гитару и поёт сентиментальную песню, в которой любовь стала простым природным занятием современного времени и стала больше, чем любовью; стала преданностью. Все наслаждаются. Сладкая Энн смотрит на Андрея. Он ей нравится. Тут вбегает испуганная Наташа. Ее двухметровый друг перерезал вену на руке и лежит в другой комнате, полусонный. Он оставил записку: «Я хотел от тебя детей иметь, а ты...»

Ему бинтуют руку, он пьёт водку и успокаивается. Андрей поёт весёлую песню про то, как кончается любовь. Потом поёт песню ревности.

— Ты отличный парень! — говорит Сладкая Энн.

Он улыбается и поёт наконец ей маленькую песню, единственный смысл которой можно уложить в одно любовное признание.

— Да, чёрт возьми! — говорит Сладкая Энн и идёт спать, напившись «Салюта». Андрей в одиночестве сидит на кухне всю ночь.

13

Андрей Левин лежал у себя дома и читал Бердяева. Потом он отложил Бердяева на стол, задумался. Кажется, снова начиналась зима.

14

«Мулька» по рецепту Семёна Свиблова. 2 пузырька трёхпроцентного раствора эфедрина, 200 граммов воды, столовая ложка уксуса, 1 пузырёк марганцовки. Подогреть воду, влить эфедрин. Одновременно залить уксус и высыпать марганцовку. Смотреть на реакцию. Как только выпадет осадок, образуются зелёно-бурые пятна («болото»), профильтровать. Получается стакан прозрачной жидкости. Выпить. Кайф!

15

Он лежит на своей красной кушетке и тушит четвёртую сигарету в пепельнице. Сладкая Энн предала его. Он помнит, как это было. Он был в армии, она приехала к нему, привезла ему еды и сигарет. Было лето, они забрались на крышу какого-то дома и там трахались, хотя люди смотрели из окон. Потом она сказала, что изменила ему. Т.е. трахнулась с другим. Он встал.

Он посмотрел на её тело, и ему стало противно. Он был сентиментален. Щёки его стали горячими и красными. Он сказал:

— Всё, Сладкая Энн.

И она уехала.

16

Андрей Левин просыпается в комнате Мити Синявского. Он говорит:

— Митя, я люблю её!

Митя поворачивает к нему обезумевшее лицо, потом обнаруживает остатки вина в бутылке.

— Дай мне, пожалуйста...

— Ну встань сам.

— Ну какой же ты всё же...

Митя встаёт, направляется к столу, вдруг обнаруживает спящую на полу женщину.

— Кто это?

— Не знаю.

— А мы её трахали?

— Не знаю.

Митя озадачен. Он смотрит в лицо женщины. Ей лет тридцать. Она открывает глаза.

— Где я?

— А кто вы?

— А вы?

Все смотрят друг на друга в недоумении. Женщина полураздета.

— А что же было вчера?

Женщина ищет глазами свою одежду. Потом говорит:

— Что касается меня, то я была вчера в Большом театре. И вообще, меня ждёт муж.

— А где вы живёте?

— В Опалихе. Подайте, пожалуйста, мой лифчик. Он лежит под вашим креслом.

— Пожалуйста.

Митя и Андрей, недоумевая, смотрят на неё, пока она одевается. Потом она уходит.

— Аааа,— говорит Митя.

— Что?

— Это же моя троюродная сестра!

17

Он лежит на белоснежных простынях вопиющей ночью, когда его чувства как будто готовы прикоснуться к высшему раю и стать чудом для тела и души; его дух трепещет в клетке любви — он полюбил, он любит, он будет любить!..

Сновидение, словно кофейный изумруд в снегу на полянах кресельных чашек, наполняет его существо своей знакомой картинкой. Шашлычный воздух горит в его теле спиртовой свечой плотских занятий. Его любимая — Святая, она никогда не знала мужчин; её лицо белое, и в прошлом она блудница. Господь вернул ей чистоту!

Её грудь как подушка невесты, мрак белизны, семья свеч, поиски смысла; она прекрасна; она как девственница, готовая окраситься в алый цвет, отдавая под жертвенный нож дорогую для неё часть организма!..

А.Левин мечтает о браке с ней. И пусть мистерия начнётся в тот самый миг, когда алтарь распахнёт для них свои врата. Ибо Бог есть любовь!

18

День рождения у девушки Наташи. Гости сидят за столом, везде полумрак, и какие-то мальчики периодически собирают деньги и ходят в магазин за очередными порциями водки. Потом подают торт. Андрей Левин объясняет кому-то содержание ранних альбомов Genesis, попивая грейпфрутовый сок с водкой. Рядом на кровати сидит скрипичных дел мастер лет сорока. Он просит слова. Выключают музыку, он начинает говорить про Христа. Потом говорит:

— Я ничего не скажу, пока вы все не успокоитесь.

Все молчат, Наташа смеётся.

— Свиньи,— говорит он,— животные. Вы не знаете мудрость.

Пьяный Левин говорит ему:

— Пойдём, я буду тебя бить.

Они выходят. Левин бьёт скрипичного мастера по морде. Тот падает, выбегают гости, Левина уводят. Потом он извиняется.

19

Свадьба Андрея Левина и Сладкой Энн. Оба в рваных джинсах, свитерах. Наташа и ещё какой-то Олег в таком же одеянии представляют собой свидетелей. Женщина, которая женит, недоумевает, потом говорит:

— Поздравляю вас с рождением новой семьи!

Они целуются взасос минут двадцать.

— Кольца где? — спрашивают их.

— Мы не покупали...

— Фотографии?

— Не нужно.

На этом всё и заканчивается. Потом они выходят на улицу, и Левин, почувствовав себя женатым человеком, уверенно говорит:

— Пошли в бар.

20

Скука в комнате у Мити Синявского. Митя Синявский сидит в кресле, читая «Уединённое» Василия Васильевича Розанова. Потом он спит.

21

....

....

....

22

В воскресенье все идут на концерт «Аквариума». Жуткая давка царит у дверей некоего клуба, где должен произойти этот концерт. Цена билета поднимается до семи рублей. Разъярённая толпа, втискиваясь внутрь, стаскивает с места телефонную будку. Милиция недоумевает.

В туалете волосатые курят анашу, коротковолосые пьют портвейн. Борис Гребенщиков выходит на сцену торжествующей походкой, изображая Дэвида Боуи. Все знают, что он — очень крутой чувак, со своими загонами. Он поёт:

— Мы пили эту чистую воду, и мы никогда не станем старше!..

Какой-то пятидесятилетний старый хиппи плачет, подрагивая своей лысиной в такт музыки и подпевая этим словам. Все балдеют.

23

Психоделическая оргия на квартире Олега. Запершись в маленькой комнате, три друга вместе с огромной разноцветной плюшевой куклой нюхают пятновыводитель «Домал». У каждого своя банка, свой носовой платок. Все молчат, вдыхая ядовитую жидкость, иногда весело хихикают, если путешествие смешное.

Андрей Левин наливает большую каплю, нюхает, инстинктивно морщится и убирает нос из платка. Потом нюхает еще. Перед глазами словно взрывается что-то белое и яркое. Потом он видит огромный цветной стадион, много людей, и он бежит вверх по лестнице. Потом видит поляну, на ней стоят заключённые в полосатой форме, копают землю лопатами и поют хором:

— Жора, не взорви мой апельсин! Жора, не взорви мой апельсин!

Андрей дико хохочет и оказывается опять сидящим в комнате между Олегом и Сергеем, которые настойчиво занюхивают пятновыводитель. Андрей недоумевает, приходит в себя, потом наливает опять каплю и опять нюхает. На сей раз он становится существом, живущим в проруби. Но приходит рыбак, закидывает удочку и ловит Андрея. Крючок разрывает ему губу. Андрей хочет отмахнуться от этого крючка, но тут леска рвется и ритмично бьет его по лицу. Он хочет избавиться от лески, но тут уже удочка или какая-то деревяшка вместе с леской и крючком, всё с тем же ритмом (тюк-тюк-тюк-тюк-тюк-тюк и т.д.), бьёт его по всему телу и даже, кажется, по внутренностям. Очень больно. Андрей кричит, бросает платок и оказывается снова в комнате между Олегом и Сергеем.

— Что такое? — спрашивает Олег.

— Bad trip.

— А...

И они снова занюхивают.

24

Нюрочка Кулакова кормит грудью свою дочку Марианну. Её муж Андрей Левин сидит на кухне с друзьями и пьёт пиво. Он громко кричит, жестикулирует и рассказывает что-то про Кьеркегора. Потом он заходит в комнату, где сидит Нюрочка.

— Дети не есть смысл жизни,— говорит Андрей Левин, осмотрев свою голую дочь.— Бердяев считает, что это новая множественность, вместо блаженного эсхатологического становления отдельной единичной личности. Поэтому нельзя относиться к детям как к вершине и плоду своей сущности. В сущности, они есть Ничто.

Дочь сосёт грудь.

— Их не надо воспитывать, не надо крестить,— продолжает Андрей Левин.— Они свободны. Например, дочь не имеет ко мне никакого отношения. Она — отдельный человек, и я — отдельный человек. Понятно?

— Понятно,— говорит Нюрочка.

— Вот так-то вот.

И Андрей Левин уходит обратно на кухню продолжать пить пиво.

25

Рядовой Левин в наряде по столовой моет посуду. Все распределено: завтрак — сто пятьдесят тарелок, сто чашек, сто ложек, обед — триста тарелок, сто чашек, сто ложек, ужин как завтрак. Левин наполняет кипятком раковину, готовит тряпки, разводит моющее средство «Прогресс», поёт песню:

— Шизофрения. Долче мелодия...

Начальник столовой, почему-то мичман, ходит и зудит, что никто не работает. Левин не обращает на него внимания. Он поглощён своим делом. Он одет в подменку, которая больше похожа на какие-то лохмотья. Рядом с Андреем стоит котёл с отбросами, весь наполненный перловкой и рыбьими костями. Андрей Левин думает об измене Сладкой Энн. Благородное негодование охватывает всё его существо. Он говорит вслух:

— Ах ты, тварь, чмо паршивое, шмара, скотина, блядь! Ты там трахаешься, гнида, а я посуду мою! Я тебе отомщу. Пройдёт миллион лет, а я всё так же буду ненавидеть тебя! Ух!

Он чувствует некоторое облегчение, смеётся и принимается в ускоренном темпе мыть посуду.

26

Рождение Андрея Левина. Шестидесятые годы, Окуджава, Америка, операция «Ы». Хрущобы, состоящие из блоков, трёхзначным числом корпусов одного-единственного дома наполняют озеленённый микрорайон, который таит в себе пересечённую местность с кабелями, котлованами и прудиками, где можно кататься на плотах и топить бездомных котят. Сюда-то его и привезли, голого, кричащего и такого же, как все. Он тогда даже маму ещё не любил — не понимал, что это такое.

27

Зелёный кот.

28

Холодная осень наступила прямо за летом, и молодые люди были, конечно, направлены в совхоз собирать картошку. По вечерам в пионерском лагере, где они жили, воцарялся дух подлинного борделя. Какие-то дамы, высвободив правую грудь, скакали по коридору, изображая амазонок. Мальчики прятались от них по углам, покуривая косяки. В центре зала огромный костистый хиппи играл в пинг-понг, постоянно поправляя длинные волосы, которые лезли в глаза и мешали видеть полёт шарика. В углу сидел Олег Сплошной, абсолютно пьяный, и слушал «Obscured by clouds». В комнате находилась небольшая компания, которая разбила шприц и очень горевала. Сладкая Энн, сидящая по-турецки на совхозной подстилке, пыталась вколоть себе эфедрин пипеткой. Ей помогал Миша Джонсон, который воткнул ей иглу в руку, а потом с помощью пипетки без резинового колпачка старался вдуть прямо в женскую плоть ценное приятное лекарство. Но ничего не получалось. Сладкая Энн с сожалением смотрела на работающего, чтобы доставить ей удовольствие, Мишу. Некоторые шли гулять по ночному полю, заходили к дяде Васе, он наливал им самогон, заваривал чай. Но пили всё-таки самогон. Дядя Вася что-то рассказывал, студенты слушали его очень внимательно, как на лекции. На втором этаже жилого дома были танцы. Человек тридцать, взявшись за руки, скакали по всему залу и кричали. Внизу, в постели, лежал Саша и читал «Феноменологию духа» Гегеля. Было очень скучно.

29

В конце концов, какие еще доказательства жаждет противоположное устройство, если любовь происходит априорно, как любовь к ничтожеству на двух ногах?! В мире находится множество тел и душ, и, чтобы не быть отчаянным релятивистом, который словно старый гусар может хватануть стопку, закусив крепким вздохом, я выбираю Вас, королева нищих, выбираю Ваш негибкий стан и Ваше нелёгкое дыхание. Но я вижу нездоровый блеск у Вас в глазах — Вы есть женщина с большим прошлым и большим будущим; Ваша воинствующая глупость есть вызов на поединок, Ваше простодушие оборачивается опытом, поэтому я не буду посвящать Вам «Over», так как у меня нет привычек жалеть о своей изнасилованной карме и о Вас, ибо Вас нет. Есть лишь сосуд для мужских теорий и тело, жаждущее любых удовлетворений.

Андрей Левин чуть не заплакал, будучи пьяным. Друзья начали его утешать и спросили, что с ним такое.

— Ничего особенного,— сказал Левин.— Победа акциденции над субстанцией. Я ухитрился всерьёз любить женщину, в которую нельзя даже мимолетно влюбляться.

30

Знакомство Андрея Левина и Сладкой Энн. Всё очень просто. Сладкая Энн подходит к Андрею Левину и говорит:

— Здравствуй, мальчик. Давай познакомимся!

Они знакомятся. Потом она уходит.

31

А.Кулакова приходит к Левину А.А. забрать некоторые свои оставшиеся у него вещи. Он выдвигает шкаф — там лежат её лифчики, свитера, гольфы и трусы. Она складывает всё в сумку. Потом садится на диван. Её лицо блаженно улыбается от опиума. Её плоть ублажена. Глаза её пусты. На ней надеты старомодные потёртые джинсы, на руках следы от уколов. Никакого эффекта румянца. Только волосы пушисты. Груди большими массами свободно колышатся под какой-то верхней цветной хипповской одеждой. Она курит, закрывает глаза, вытягивает ноги в кроссовках. «Какой ужас!» — думает Левин А.А., увидев ее въяве. Они пьют кофе и идут в народный суд — разводиться.

32

Андрей Левин приходит к Сладкой Энн в гости. Сладкая Энн ходит по квартире в тренировочных штанах, предлагает Левину щи, разогревает чай. Она садится в кресло, включает магнитофон, и они слушают Кэта Стивенса. Андрей сидит на диване, берёт Сладкую Энн за руку, говорит:

— У тебя совсем неженская рука.

69

Её ногти коротко острижены, рука бледная и маленькая. На магнитофоне звучит песня «Лиза-Лиза». Сладкая Энн выключает свет; такое ощущение, что её глаза блестят во тьме. Андрей обнимает её, и они целуются так бешено, как будто у них больше не будет времени поцеловаться ещё. Её щёки излучают тепло, словно специальное приспособление; на магнитофоне стонут скрипки, словно плач потерянного человека или восторг первой разлуки, когда хочется крикнуть в чужую ночь: «Утрата!» и упасть в постель для бессонницы сквозь оконную тьму; руки возлюбленного держат плоть, и он боится дышать на неё, словно это — замерзающая птица в ладонях доброго человека; двое готовы только коснуться друг друга локтями, чтобы почуять обоюдную действительность, которая, как сабля, заточённая с двух сторон, рождается из их попыток неудавшейся диффузии; но тело готово принять иное тело в свою душу, и время готово встать на дыбы, чтобы некто продолжил обычный поцелуй во тьме, но скрипки закончили свои любовные стоны, и смычки отдыхают, развалившись в межнотных постелях и закурив, и поцелуй тоже не может быть повторён, ибо поцелуй — это не половой акт, и его можно совершить только с любимым существом, будь то мать, любовница или отражение в зеркале.

Они сидят молча минут пять.

— А ведь ты мог бы меня сейчас трахнуть,— говорит Сладкая Энн.— Я была бы не против.

Андрей Левин делает какой-то недоумённый жест и закуривает.

33

Андрей Левин тоже решил заняться молодёжной жизнью. Он шёл по улицам, одетый, как хиппи. Перед ним была тусовка. Он шёл на неё, чтобы тусоваться. Он был в меру обдолбан, чтобы было не стыдно появляться на тусовке, хайр его, правда, оставлял желать лучшего, но всё-таки был характерным, зато сумка была полный ништяк. Итак, он пришёл на тусовку и начал тусоваться. Делалось это так: для начала он встал рядом с разными хиппи и стал осматривать их отсутствующим взглядом. Потом он сел. Потом опять встал. Потом лениво прошёлся вокруг толпы. Потом увидел знакомого, подошёл. Завязался разговор.

— Ты кого видел?

— Я никого не видел. А ты кого видел?

— Я многих видел. А ты знаешь Пургена?

— Нет. Вообще-то знаю.

— А Онаниста?

— Видел.

— Ну и как он?

— Торчит.

— А Гноя свинтили. Да, кстати, Бодхисатва повесился.

— Да что ты!..

— Да. А Булочка передозировалась. Оля Маленькая заболела триппером, а Джон выбросился в окно.

— Какой ужас...

— Сейчас стрём идет жуткий. Стрём и облом. Я лично уезжаю в Азию — там теплее. Кстати, не можешь достать «стакан»?

— Не знаю...

К ним подошла лысая девушка. Она курила сигарету в длинном мундштуке.

— Вам нужно «грызло»? — спросила она. — У меня была дырка через Горчакову.

— А сейчас?

— Сейчас все обломали.

И вся компания сказала хором, как по команде:

— Облом!..

Андрей еще немного потусовался, потом пошёл переодеваться, так как сегодня вечером он был приглашён друзьями на ужин в ресторане «Метрополь».

34–35

И вот они схватились, на миг замерев в объятиях друг у друга; их одежда, как подготовительная почва на наибольшей части телесной поверхности, жаждала тоже пасть на пол или просто к ногам, переплетя штаны с юбкой; и пальцы ненаглядного существа, которое закрыло глаза и, кажется, было готово мурлыкать, словно забыв свой личный биологический вид, слегка касаются разных частей тела, и осязание главенствует над всеми другими чувствами — наверное, можно стоять так бесконечно, становясь разнополыми атлантами, которым нечего держать на своих плечах, поскольку они уже на небе и готовы приступить к единению; пусть именно плоть будет сокрыта и обёрнута, словно мороженое, в ласковую трикотажную обёртку; и есть ещё иное бельё, которое, как кисея или телефонная мембрана, дрожит от горячего дыхания детей Гермеса и Афродиты; и стоит лишь отвлечься, как всё предстанет в виде методического пособия и можно сыграть в игру изнемогающих от желания незнакомцев или же в порочных детей; а можно прыгать и скакать по креслам и постелям, и пусть летают подушки и простыни и вершится насилие; и жертва жаждет своей участи, а вопль её превратится из крика ужаса в надменный призыв восторга! Наша общая собственность — это наши тела, ибо мы есть двухголовый, четырёхногий, четырёхрукий и двуполовой индивид; и если Сиамские близнецы были мечтою подлинного педераста духа, то мы — воплощение диалектики, которая не есть, как сказал Винов, чёрная метафизика, а присутствует в мире как принцип всеобщего движения,— и мы готовы изобразить эту динамо-машину и служить обоснованием практического перехода количества в качество, так как много-много телесной любви (whole lotta love) рождает в конце концов взрыв всех чувств и удовольствий, и появляется Новый Человек, и в этом смысле мы — сами Боги, и в наших силах рождать новую жизнь, используя при этом простую кинетическую энергию наших страстных тел.

Ибо любовный акт не есть простое соглашательское действо, которое вершится двумя дружескими людьми, взявшись за руки и с некоторой симпатией друг к другу, но есть бой, война и битва двух иных и разных начал; и настоящий мужчина из этих двоих может использовать принцип йоги, отказываясь воспринимать объективность этой реальности, и отнестись к ней как к некоей майе, задумавшись о вещах другого сорта, как-то: бутерброды, художественная литература или смерть; и в самом разгаре акта обнаружить себя духовно выключенным из него, что даст возможность существу инь употреблять лежащее муляжное мужское тело в качестве тренажёра или вечного вибратора, покуда девический перпетуум мобиле не устанет кайфовать от собственного могущества; в это время мужчина должен быть рифом, хитрой вражеской антенной или же несгибаемым сталагмитом, поглощённым ненасытной утробой возлюбленного неприятеля; он должен включить своё знание, только лишь одержав победу над плотью, которая жаждет этого укрощения; и животное начало перейдёт в божественное, когда мужчина, являясь руководителем любви, с открытыми глазами, холодным сердцем и чистой совестью заставит соперницу признать своё поражение и оседлать её, уже тихую и послушную, и царить над ней, и видеть в ней орудие своей прелести и — просто свою любимую, которую можно целовать в голову и гладить по руке.

Они — два человека, сжимающих друг друга; они могут надеть чулки, носки или чёрные колготки, накрасить губы и притвориться детёнышами разных зверей или рыб; они могут умереть от истощения и насыщения собой; но это и есть любовь — действие, поступок и занятие. Занавесьте постельный храм: в нём нет антагонизмов, в нём обретается невинность, потому что тело исчезает и переходит в чистую энергию; физика любви — это теория относительности, это — союз фотонов; кажется, ещё немного, и время пойдёт в другую сторону, и наступит царство прошлого, того прошлого, где всё прекрасно!

Пока есть этот союз, нет нравственности, ибо она не нужна; практическая любовь есть откровенно положительный акт, и поэтому не стоит раскрывать нараспашку интим — он этим низводится до уровня утренних туалетов и чувств, и поэтому только здесь мы едины, милая, а всё остальное — душевные проблемы, мораль и слова, слова, слова.

36

Встреча Нового года в каком-то пансионате среди зимней русской природы. Ближе к рассвету, напившись шампанского, водки, коньяка, сухого вина, виски и пива, Андрей Левин, Сладкая Энн, Митя и какой-то Вячеслав выходят на улицу подышать новогодним воздухом. Они несут с собой бутылку водки, чтобы распить её в лесу. Андрей Левин хмуро смотрит на утрамбованный ногами снег, по которому идёт компания. Он чувствует какую-то печаль и хочет ещё выпить. Пройдя некоторое расстояние, перед всеми ними предстаёт начало тёмного леса, в котором только благодаря луне блестят снежинки на ветках мрачных деревьев и видны огромные застывшие сугробы, уходящие в ночную бесконечность. Молодые люди останавливаются, чтобы поймать кайф от лицезрения новогодней природы.

Внезапно Андрей Левин, издав яростный крик, начинает бежать вперед — в лес — и скрывается за деревьями. Никто не понимает, в чём дело. Потом они опять видят его. Он стоит на четвереньках в сугробе и что-то говорит самому себе. Сладкая Энн, перепуганная, зовёт его. Андрей встаёт, опять прыгает, что-то кричит, потом возвращается, виновато улыбаясь и отряхивая снег.

— Что с тобой? — спрашивает его Сладкая Энн.

— Ничего особенного,— говорит он спокойно, как актёр.— Просто мне вдруг захотелось стать животным и убежать в лес. Возможно, в своём предыдущем перерождении я был каким-нибудь волком или кротом. Мне всё время кажется, что здесь какая-то тайна, которая вообще является главной тайной, и что если я поддамся этому чувству, я раскрою её...

— Ну и что же ты?

— Мне опять вернули человеческий облик! — сказал Андрей Левин, усмехнувшись.— Я опять думаю, чувствую и страдаю. И так далее. Дайте водки, что ли.

37

Андрей и Коля, будучи тринадцатилетними мальчиками, пошли в филиал какого-то театра. Это был утренний спектакль, билеты дали в нагрузку к каким-то ещё билетам; актёры играли пьесу Симонова, то ли «Русские люди», то ли «Так и будет».

— Let it be, одним словом,— сказал Коля, когда они вошли в театр, забрались на третий этаж и сели на свои места. Всего в зрительном зале сидело человек тридцать. Спектакль был с двумя антрактами, и во время антрактов Андрей и Коля быстрее всех прибегали в буфет и с наслаждением ели пирожные, бутерброды и пили лимонад. Когда начиналось действие, они играли в «балду», иногда для развлечения поглядывая на сцену. По сцене ходили военные люди, у них были свои проблемы, своя жизнь. Декорации были сделаны добросовестно и отражали дух военной эпохи.

— «В»,— сказал Коля.

— «Ё»,— сказал Андрей.

Коля очень удивился и думал, наверное, на протяжении всего второго действия, что же можно ответить. В это время на сцене объявился новый персонаж: майор — женщина. Кто-то в зале действительно оживился. Наконец Коля сдался и сказал:

— Ну и какое же ты слово имел в виду? Нет такого слова!

— Есть,— сказал Андрей,— вёрстка!

38

Веселый автостоп в Крыму. Андрей Левин, беременная Н. и разнообразные хиппи стояли лагерем прямо у моря и спали по ночам почти на голой родной земле, завернувшись в брезент. По утрам они вставали, искали бычки от сигарет и шли в пионерский лагерь — просить что-нибудь поесть. Потом можно было бездействовать. Лежать на пляже, купаться в море, трахаться, ссориться и беседовать о судьбах всего человечества. Беременная Н. с огромным животом осторожно входила в воду, боясь упасть, и устраивала характерные для своего месяца истерики. Все устали её слушать, но не выбрасывать же живую девушку с плодом внутри неё? Приходилось терпеть.

Однажды они решили потратить последние деньги. Выйдя на живописную горную дорогу, мужская половина колонистов поймала молоковоз, и водитель предложил залезть им внутрь — на манер фильма «Джентльмены удачи». Крышка захлопнулась, и они оказались во тьме. На дне этого бидонного кузова было немного воды, и, как только машина стала взбираться на крымскую гору, поворачивая в разные стороны, все люди внутри неё почувствовали себя бельем в утробе стиральной машины. Это было новое, приятное, экзистенциальное ощущение. Потом они вылезли из машины, абсолютно мокрые, но весёлые, и стали ждать дам. В конце концов им всем повезло: они добрались до ресторана «Байдарские ворота» и ели там люля-кебаб до самого вечера. Ибо хиппи любят не только морфий, но и люля-кебаб.

39

Андрей Левин стоял посреди очередной хипповской тропки, направляясь вместе со своей суженой на Куршскую косу, чтобы продолжать бездеятельность и отдых от напряжённой детской жизни; он выглядел, как сумасшедший с большими глазами, который иной раз может сказать какую-то умную вещь, и Сладкая Энн рядом с ним пытливо вглядывалась в его текущие внутри мозгов мысли, желая вернуть его плоть в свои объятия, в то время как Левин занимался глубокими философскими задачами и был бесконечно далёк от любовных утех и дружеских услад.

— Любимый! — вскричала она так клёво, как женщины иногда могут, особенно когда хотят чего-то добиться от кого-нибудь.— Милый! Что с тобой? Ну ответь мне! Ну скажи: что мне делать?

Но Левин молчал, потеряв связь между собой и объективной реальностью, данной мне в ощущениях. Потом, наконец, он сказал, безуспешно попытавшись поймать «КамАЗ»:

— Больше нет тайн. Есть одни возможности и их реализация. Мир очень прост. Я всё понял. Мне осталось умереть, поскольку жить неинтересно. Я не могу жить без тайн и любви.

— Но ты же любишь меня?! — отчаянно проговорила Сладкая Энн.

Левин виновато улыбнулся и не ответил. Потом вдруг лёг прямо на траву около дороги. Сладкая Энн сказала:

— Чёрт! Что же мне делать! Мой муж — сумасшедший!

— Дура,— сказал Левин.— Для тебя это было всё шуточками. Марихуана, философия... На самом деле тебе на всё на это наплевать! Ты — баба!

— Да! Я — баба! Но женщине и не нужно во всё это врубаться! Пускай думают разные умные люди. А я буду детей воспитывать.

Левин поморщился, потом решил закурить. Потом он сказал, обращаясь к Сладкой Энн:

— Ты всё врешь. Чёрт побери, ты — мёртвое создание. Будет в тебе когда-нибудь что-нибудь настоящее? Я бы пытал тебя огнём, чтобы ты хоть что-нибудь почувствовала *сама*!

— Ах вот ты какой! — закричала Сладкая Энн.— Я не для того с тобой стусовалась, чтобы ты сходил с ума. Мне был нужен нормальный мужик, а не шизофреник.

— Вот именно, *тебе* был нужен,— сказал Левин, вставая.— Тебе в принципе на всё наплевать. Если бы меня сослали в Сибирь, как декабриста, ты бы не поехала со мной!

— Я не декабристка! — заявила Сладкая Энн.— Я не хочу участвовать в ваших мрачных раскладах! Воюйте и сражайтесь сами. Без меня.

Левин махнул на неё рукой, чтобы она замолчала. Он пошёл вперед, не оглядываясь. Он чувствовал, что ещё немного, и он задушит её, несмотря на то, что в это время он был пацифистом. Его догнала Сладкая Энн.

— Милый, ну почему мы ссоримся? Ну давай всё забудем! Ты думаешь, я это серьёзно говорила? Я же глупая баба, прости уж меня... У меня нет своих мыслей. Давай больше не ссориться.

И они поцеловались.

40

Путешествие на Луну Андрея Левина. Андрей Левин выходит на балкон, подпрыгивает, летит на Луну, потом возвращается обратно.

41

Некий общий день рождения в неизвестном месте. Незнакомая компания сидит, пьёт пиво и смотрит видеомагнитофон. Кто-то играет в преферанс, кто-то танцует, кто-то моется в ванной, кто-то спит. Всё как всегда. Хозяин квартиры уехал за добавочным алкоголем, предварительно собрав деньги.

Ставят какой-то эротический фильм. Андрей Левин предлагает спеть песню ансамбля «Кино». И под страстные вздохи на экране, где мелькают сиськи и прочие женские части тела, под шум разных половых актов и шелест игральных карт в руках у партнеров, играющих «Сталинград», под беседу о смысле жизни и под бульканье пива раздаётся общий хор, поющий песню «Я — бездельник!».

Потом приходит хозяин и приносит ещё выпивку. Никто не помнит, кто здесь именинник. Никто не знает, кто здесь жених или невеста. Никто ни с кем не знаком. Но всем весело.

Вот оно — решение проблемы одиночества и досуга!

42

«Кузьмич» по рецепту Сладкой Энн. Взять «пробитой», но не запаренной анаши (количество зависит от качества конопли и географии её произрастания), положить на сковородку, поджарить до подрумянивания в подсолнечном масле, полученную смесь съесть. Предупреждение: бойтесь передозировки. Доза зависит от крепости «травы». Минут через десять — «приход». Полнейший кайф!

43

В безумном споре, среди дымной комнаты, где шесть мужчин пьют одну бутылку сухого вина, Андрей Левин неожиданно говорит:

— В конце концов, что есть цель нашего наличного бытия? Приятные моменты, по-моему, и только. На пороге уничтожения ведь вспомнишь только о том, чтобы ещё сделать что-то *себе* запоминающееся. И после своей кончины ты будешь пребывать в этих мгновениях, которые ты специально расставил, словно флажки на лыжне, по всей своей жизни.

— Андрей,— сказал серьёзный бородатый человек,— если бы мы с вами жили в средние века, я бы сжёг вас на костре за ересь!

Андрей улыбнулся.

— И всё равно, сколько было этих моментов,— продолжил он,— восемьдесят шесть или всего один, важно, что они *были*. Важно, что ты существовал хоть миг. Иначе ты — полный труп уже сейчас.

— Послушайте! — закричал некий хромой человек.— Но вы разве думаете, что делаете что-то оригинальное? Вы находитесь в стаде и делаете то, что принято. Будь вы девушкой в раннем средневековье, вы скорей всего хранили бы девственность, в то время как сейчас вы можете трахаться со всеми и быть христианином. Так что вы и в своих моментах не существуете. Вы и в них труп. Важно не это. Цель всего, в конце концов,— любовь. И смирение. Любовь можно понимать как угодно. И вообще понимать ничего не нужно. Нужно просто любить.

— Я любил и люблю,— сказал Левин.— Я знал, что это такое. Чего же мне желать от рая, если я знал рай такого рода?

— Ваша земная любовь — это полная фигня. Посмотрим, как вы заговорите, когда она рухнет.

— Мне достаточно того, что она была. Я имел этот опыт. А теперь, Боги, я хочу чего-то нового!

— А что может быть ещё нового, коли скоро уже конец света? Пора подумать и о душе.

— А мне,— сказал, наконец, Андрей Левин,— плевать на душу в таком смысле. Я готов отвечать за свою жизнь. Но я люблю эти мгновения и буду пить за них вино!

И они замолчали. В конце концов им надоели все эти слова. Им просто нравилось сидеть вот так вместе, пить вино и разговаривать на важные темы. Станет ли этот вечер Мгновением? Нет, не станет, поскольку мало вина.

44

Иван Павлович Курочкин вышел из своей конторы и пошёл по направлению к метро «Пушкинская» по Тверскому бульвару. Иван Павлович шёл и радовался весеннему воздуху, концу рабочего дня и своей осмысленной жизни. Подойдя к площади, он увидел множество молодых людей в чёрных куртках и кепках с большими козырьками. Их было очень много — сразу было видно, что они собрались не случайно. Иван Павлович подошёл к стоящему рядом парню в красно-белом шарфе и спросил его:

— Послушай, сынок, ты не знаешь, что здесь происходит?

Парень лениво махнул рукой, но всё же ответил:

— Да ничего особенного. Просто фашисты справляют день рождения Гитлера.

И вот тут-то Иван Павлович опешил. Как сказал ранее запрещённый поэт, «и понял, что он заблудился навеки в слепых переходах пространств и времён». Эта строчка сразу же пришла на ум.

— Не понимаю,— громко сказал Иван Павлович, так как ему казалось, что последних фашистов он убил в 1945 году в Берлине.— Ничего не понимаю. Это просто смещение какое-то получается.

И точно: на следующий день Ивана Павловича пригласили на концерт рок-группы «Смещение».

45

Вперёд, пока сердце трепещет, словно мотор, а свобода играет в теле звуками му!.. Ненаглядная женщина находится рядом, прямо под рукой, протянутой вперед, чтобы сорвать цвет жизни и положить его в свою перемётную сумку, чтобы он нераспечатываемым талисманом охранял нас от бедствий и ментов! Хиппи любят удовольствия и свободу, панки, в конце концов, то же самое, да и вообще все нормальные люди. Просто у них у всех разные эстетические формы проявления этих априорных и архетипных вещей. Да здравствуют Юнг и Хайдеггер! Да здравствует Сладкая Энн! Свободу маленькому Джо! Ура!

Вот здесь — on the road — я живу свою жизнь в шестьдесят седьмом году, хотя за окном скоро наступят иные тысячелетия и эпохи; но мы объединены с моей подругой тайной ночных занятий, которые ни для кого не тайна, и мы рвёмся вперёд, чтобы достичь опьянения соляркой очередного «КамАЗа» или «КАЗа»; и холод заставляет нас обниматься и чувствовать, что одно тело хорошо, а два лучше; утрата осознанной необходимости даёт нам возможность гордиться своими достижениями в личной жизни; и пускай дети рождаются прямо из нас и вырастают на радость себе самим!

Я смеюсь, и она улыбается, ведь мы плюралисты и понимаем толк во всём, мы шлём приветы «системе» и богеме и уверенно идём по зимней дороге, чтобы торжественно войти в город Вильнюс и выпить там рюмку ликёра, прежде чем напиться окончательно. И мне наплевать на ракеты МХ, которые сейчас прервут мой жизненный путь вкупе со всем человечеством. «Что ж,— подумаю я, если ещё способен буду думать,— значит, так было суждено». И я попрошу себе херес из личных подвалов Сатаны, если, конечно, он существует и если я попаду в ад. А если нам суждено небытие, то на нет и суда нет.

46

Развод А.Кулаковой и А.Левина. А.Левин одет в тройку, и лишь Кулакова осталась вдвойне прежней — заплаты, свитер и даже какой-то рюкзак, правда, не для туризма, а в качестве контркультурного символа. Они долго стоят, ожидая. Кулакова крестится и говорит:

— Больше нет никаких чувств!

И злой Левин отвечает ей:

— Ты не понимаешь ничего ни в Боге, ни в чёрте. Ты — ноль!

Она обижается, потом их приглашают для развода. Молоденькая судья быстро проворачивает всю эту процедуру и после совещания объявляет, что брак можно считать расторгнутым. Дикая радость охватывает обоих бывших родственников. Они выходят из суда, и Левин говорит:

— Фиг с тобой, пошли пить шампанское! Но я всё равно к тебе очень плохо отношусь.

И они идут в пиццерию.

47

Однажды он опять лежит на своей красной кушетке и закуривает четвёртую сигарету. Он зевает, глядя в окно. Везде такая скука и одиночество. Он хочет быть андрогином, но знает, что это трудоёмкий религиозно-физиологический процесс. И любовь всё равно остаётся и теряет лишь свою конкретную воплощённость, словно человеческое существо, которое, явившись на свет божий в виде ребёнка, готового жить и переживать, вдруг снова возвращается к исходной точке, а именно — к мужской потенции. Ведь материя в принципе может перейти в чистую энергию, и теперь он чувствует себя переполненным своей личной любовью, которая раньше была адресована объекту, и любовь тяготит его, словно не освобождённые кишки.

Он зевает и пытается привыкнуть к этому неопределённому энергетическому состоянию, которое вызревает в нём на манер дурной болезни, которую всё равно придётся лечить, потому что она ещё проявит себя. Потом он с ненавистью плюёт в потолок и закуривает снова.

48

Рядовой Левин вместе с рядовым Сергеевым запираются в кладовой солдатской столовой, куда улыбающийся повар — ефрейтор Газелин — приносит готовое наркотическое вещество, собранное по ночам на цветочных грядках трудолюбивыми солдатами, которые, словно пчёлы, перелетая короткими перебежками, чтобы не заметил злой офицер, с одного мака на другой, добывали ценный опиум, нужный их душам и телам для отдохновения от дел ратных. Сергеев приготовил «чёрную» в солдатской кружке, а Газелин проследил. Левин был приглашён в качестве любителя.

— Кушать подано! — сказал Газелин, предъявляя также общему взору прокипячённый шприц с одной-единственной дефицитной в рядах Советской Армии иглой.

После этого Левин обнажает свою мускулистую рядовую руку, и Сергеев делает ему укол в вену.

— Ах! — говорит Левин, чувствуя приход, и прямо-таки оседает на какой-то стул, дрожа от удовольствия. Щёки его розовеют, и он говорит:

— Отлично получилось!

После этого колются Сергеев и Газелин. Потом они расстаются. Левин идёт выполнять какую-то очередную работу, которая была ему приказана, и чувствует себя превосходно. Но потом, в процессе работы, у него вдруг резко начинает болеть голова. За головой — живот. А тут и температура поднимается. Левин сперва не обращает внимания на эти явления, но потом понимает, в чём дело.

— Идиоты! — говорит он.— Они сделали грязное вещество!

«Так. Главное — спокойствие,— думает бедный рядовой Левин, уже не в силах пошевелить ни единым членом тела,— в таких случаях нужно быть спокойным. Ничего не поможет. Есть только два варианта: или я умру, или организм справится с инфекцией и всё пройдет».

Но между тем армия есть армия, и скоро уже рядовой Левин идёт в строю и даже пытается петь какую-то песню типа «Не плачь, девчонка», хотя делать ему это очень трудно. Все спрашивают его: «Что с тобой?» Но он молчит. На ужине к нему подходит ротный.

— У меня очень болит живот, товарищ капитан,— отвечает Левин.

Его трясёт лихорадка, и ему очень хочется блевать, но нельзя. После ужина рота идёт в кино, и Левин садится в кресло, закрывает глаза, и только к концу фильма ему становится легче. Он возвращается в роту опять же в строю, и после отбоя к нему подходят два сержанта старших призывов.

— А ну-ка, иди сюда!

Они ведут его в туалет, приказывают смотреть в глаза.

— А что у тебя зрачки такие маленькие? А? Ты что — наркоман?!

Резкий удар в подбородок ниспровергает слабого Левина на чистый кафельный пол армейского туалета.

— Встань! Ты что, сука, колешься? Душара!

Еще два удара, и один из них — в половой член рядового Левина. Он опять падает.

— Иди пока спи. Мы вас сегодня поубиваем!

Левин ничего не понимает уже в этой жизни, забирается на свою верхнюю кровать и не может заснуть, так как ждёт своего часа. И вот он приходит: дневальный зовёт его, и Левин, надевая тапочки, идёт в каптёрку, как на допрос, хотя знает, что он — виновен.

Два сержанта распили бутылку портвейна и теперь курят, сидя за столом, где обычно сидит старшина. Каптёр напряжённо смотрит в лицо Левина. Левин встаёт около двери и ждёт. Сержант подходит к нему.

— Ты читал книгу — не помню кого — называется «Черви»? Про американскую армию? Но советская армия хуже. Здесь нет гуманизма. Поэтому смотри: сейчас мы тебя изобьём за то, что ты кололся, падла. И ты ничего нам не сделаешь. А если ты нас застучишь, то мы застучим тебя. Понял? Понял, сука? Я не слышу ответа.

— Понял...

— А то я вижу, что ты у нас большой любитель Америки. Битлз, кайф, как ты говоришь...

И второй сержант, жуя бутерброд, который ему принесли подчинённые, со страшной силой бьёт кулаком по столу и кричит:

— Убил бы тебя, мразь!

После этого Левина начинают бить. Он не чувствует ничего, кроме каких-то потрясений и толчков в голове и во всём теле. Иногда он начинает терять сознание, тогда бить прекращают и дают ему передохнуть. Потом всё начинается снова. Он вытирает кровь во рту рукой и про себя соображает, что ему чуть ли не надвое размозжили губу. Он знает, что через некоторое время он просто убежит от них, испарится, перестанет существовать. Но он молчит и в данный момент презирает своё тело. Он чувствует, что он устал быть побиваемым. Он чувствует себя зверем, которого сейчас будут кончать.

— О Боже! Они ведь убьют меня! — вдруг проносится у него в голове, и резкий страх за свою физическую целостность буквально пронзает его, как игла с наркотиком. И в этот самый миг сержант, осмотрев костяшки своих пальцев, уже совсем незлобно бьёт Левина в грудь, а потом говорит:

— Ладно. Хватит ему. Эй, ты! Иди спать и пригласи сюда Сергеева!

49

День рождения Андрея Левина. За огромным столом сидят человек тридцать и пьют алкогольные напитки. Какой-то никому не знакомый немец дивится, глядя на размах славянской души. Сладкая Энн суетится и выставляет на стол новые блюда. Левин прыгает, танцует и пьёт водку с сухим вином. Он танцует с некоей дамой, которую чуть ли не раздевает в процессе танца. Его жена огорчается и за шкирку тащит его прочь от этой дамы. Он извиняется, и они идут трахаться в ванную. В это время компания снимает со стены огромный грузинский рог, наливает туда все напитки, имеющиеся в наличии, и пускает по кругу. Немец вежливо отказывается. Некий друг громко зовет Сладкую Энн.

Другой спрашивает:

— А где же Левин?

— Это одно и то же,— говорит Илья.

50

(золотая свадьба)

Одинокая медитация Андрея Левина у себя дома в тапочках и халате. Он одинок, поскольку его не балует судьба, а он тоже не особенно старается урвать для себя интересное жизненное занятие. Он сидит, посматривая на котлеты, которые готовятся для него же.

Котлеты переливаются лиловым перламутром морских высот стоического настроения, которое, словно чернобровая книга, лишённая половых органов, заполняет досуг индивидуального существа, пытающегося смаковать котлетную секунду таинственного будущего, ожидающего оригинальную личность даже в случае скуки. Левин встаёт, ест котлеты, закуривает.

— Идеал жизни,— говорит он,— в том, чтобы всё шло так, как ты этого хочешь. Но это и ежу понятно. Следовательно, идеал жизни понятен и ежу.

51

Андрей, Глеб и Соколов идут по улице, размышляя о том, где же можно купить стакан кукнара, чтобы путем приготовления из него наркотического препарата получить очередное удовольствие от материальной жизни. Ибо мы вообще материальны и кровавы, и не только души и градации их присутствуют в нас, но еще и неживая природа, которая тоже хочет иногда поймать свой маленький кайф. Позвонив многим людям по телефону в надежде получить от них требуемую заготовку за наличные деньги, они не достигли этим ничего — казалось, вывелись маковые головки на земле русской или наркомания, оказавшись бичом современного общества, стала преследоваться столь усиленно, что любящие это дело удвоили свою бдительность, перестав доверять даже близким и проверенным друзьям. Андрей, Глеб и Соколов шли, утопая в чувствах скуки, и смотрели в окна, словно за ними жили знакомые им торговцы белой смертью и ждали их, чтобы предложить им свои развлекательные товары. Но всё было глухо.

Они пошли на рынок, чтобы попытаться купить сырьё у старушек, продающих мак. Но старушки в ответ только махали руками, говоря слово «милиция».

— Они уже учёные,— сказал Глеб.

Три друга ушли с рынка, совершенно расстроенные. В магазине люди стояли за колбасой и мясом, и даже пивные закрыли, где можно было стоять, окружив себя родным народом и чувствуя полное единство с ним хотя бы в любви к алкогольным напиткам и к этому жидкому демократическому пиву, по которому каждый подлинный житель нашей страны скучал бы больше, чем по берёзам, окажись он на пляже в Калифорнии и не имея возможности вернуться обратно в родной пивняк.

— Раньше бы мы пошли в бар,— сказал Соколов,— и там бы мы сидели, пили «шампань» и дурачились. Мы бы били стаканы, и было бы весело. А сейчас нужно идти домой вместе с портвейном, если его найдешь, и там сидеть, испытывая грусть уходящей жизни, и всё в таком духе.

В это время мимо них проходила компания «металлистов». Один из них нёс магнитофон, играла музыка.

— Ребята,— спросил Соколов,— что это за ансамбль?

Металлист с магнитофоном сделал потише и сказал что-то типа «заузик» или «заусик».

— Что-что? — переспросил Соколов.

Металлист повторил. Потом опять сделал громко, и они ушли.

— Я так и не понял,— сокрушённо сказал Соколов.— То ли «заузик», то ли «заусик», то ли «бзик»... Чёрт его знает!

Вконец расстроенные, они поймали такси и поехали к кому-то в гости.

— Всё равно,— сказал Андрей,— как поёт Гребенщиков: «И нелепо было думать, что мы у руля».

И он начал расчёсывать свои волосы на косой пробор, чтобы длинный чуб, упав на лоб, приблизил его к современности. Но для этого нужна была особая стрижка — и он, плюнув в окно, зачесал волосы назад, как это делали teddy boys в конце 50-х годов в Англии, и скорчил какую-то самовлюблённую рожу.

52

Сладкая Энн выходит из дома в юбке, чёрных колготках и с сумкой через плечо. Вместе с ней выходит её муж Андрей Левин, перевозя через подъездный бордюр коляску с их общей дочерью Марианной, которая спит в пелёнках и подгузнике. Семья Левиных направляется на рынок, чтобы потратить свои скромные стипендии, купив всяких дорогих и вкусных вещей типа телячьих отбивных и разных солений, дабы чревоугодием занять пустую семейную жизнь, лишённую приятных неожиданностей, таких, как пробуждение в похмелье с неизвестным ранее человеком иного пола в твоих объятьях или путешествие в Ленинград на такси для того, чтобы было что рассказать друзьям за бутылкой водки. Весна процветала: рынок был наполнен ранними узбекскими гранатами и зеленью,— и Левину совершенно не хотелось пить алкоголь. Хотелось есть телячью отбивную, забравшись под одеяло с тёплой полуодетой женой в кружевном белье рядом, когда по телевизору идёт что-то общеизвестное и нас окружает вещизм в виде удобных комфортабельных условий для жизни; и можно ощущать себя человеком общей массы, которая наслаждается чувством личной семейственности после трудового дня и обволакивается всем своим домом, словно мягкой пушистой шубой, в то время как на улице холод и мрак, и ты готов плюнуть во Вселенную, даже если плевок попадет в чёрную дыру — плевать!.. Я глуп, но я царь у себя в доме, в банальном кресле наблюдая свой любимый хрусталь! Всё равно, что есть Лоллобриджида, ибо, когда я отваливаюсь от моей милой с чувством глубокого удовлетворения, мне не нужна даже Елена, и у Мефистофеля ничего бы не вышло, если бы он в этот момент захотел бы мне предложить райские кущи за душу. И философия сходит, как воды при рождении нового человека, и остаётся лишь кайф от хризантем и дымящейся вырезки с кровью. И так приятно, что и сегодня будет программа «Время», так как, значит, ничего страшного не случилось, и ещё крепче будет сон Марианны и любовь между её родителями, которые долго не спят, беседуя о прочитанных книгах; и он любит свой утренний халат, а она — его, и поэтому на завтрак у них будут гамбургеры!

Они купили мяса, маринованного чеснока и грецких орехов. Когда они пришли домой, дочка Марианна крепко спала, перестав визжать и приобретя трогательное выражение лица; родителей дома тоже не было; поэтому, поставив коляску в комнату, семейная пара пошла на кухню, чтобы делать вкусный обед и разговаривать о жизни. Она отвернулась к плите, перекаливая масло. Он встал и обнял её сзади, поцеловав в затылок. Они упали на пол, расшнуриваясь и раздеваясь, и была между ними любовь, и масло стало чёрным на сковородке и шипело, словно недовольная бабушка при виде беспорядка.

53

День рождения у девушки Николая Ивановича. Митя Синявский спит в туалете. Какую-то даму лет сорока безуспешно насилуют на кухне. Дама вопит, оскорблённая неумелостью юнцов, которые никак не могут совершить то, что задумали, поскольку их это не возбуждает. Девушка Николай Иванович блюёт. Сладкую Энн лапают и тискают на полу три тощих человека, которые похожи на дебильных детей. Полуголая Энн кричит матерные слова и лезет к кому-то в штаны. В другой комнате Гномик делает десятый укол эфедрина. Юноша по прозвищу Козёл лежит под эфедриновой капельницей. Глаза его закрыты. Он напоминает жертву эксгумации. Васильев снимает штаны и говорит грозно: «Ну, кто здесь настоящий мужчина?!» Влюблённые Аня и Таня тихо пьют чай, разговаривая о Вселенной. Девушка Николай Иванович прекращает блевать, что-то кричит, все собираются и пьют её здоровье. Сладкая Энн засыпает на полу под чьим-то мужским телом. Приближается рассвет.

54

— За мандустру! — сказал Мишка, и мы все соединили бокалы с пивом, чокнулись и выпили.

55

Младший дипломат Фадеев сидит на кухне семейства Левиных и пьёт чёрный кофе. Он сверкает получёрными очками, он достаёт блестящую зажигалку, он говорит. Он только что из Швеции, он перенасыщен дешёвой порнографией, которая бьётся, словно современное искусство, над попытками изобрести что-то новое. Прямо хоть третий половой орган выращивай или просверливай новые отверстия в теле, чтобы толстокожая буржуазная публика опять сфокусировала своё внимание на глянцевых изображениях извечных людских занятий! Но мы пока ещё не так зажрались, чтоб наплевательски относиться к тяжёлому труду бодрых статистов, демонстрирующих неоднозначное искусство человекоделания, и хотя Толстой и застрелился бы, сочтя свою жизнь бесполезной, если б взглянул краем глаза на пропаганду этой мерзости, у нас она всё ещё вызывает живой отклик и интерес.

— Ну, ладно, ребята,— сказал Фадеев и достал из своего портфеля именно такой журнал.— Смотрите, только никому ни слова! Сидеть в тюрьме за то, что смотрел, как кто-то незнакомый тебе трахается, или просто его задницу, или сиську,— это, по-моему, высшая глупость!

Левины начали осмотр журнала. Он спрашивал: «Всё», а она говорила: «Сейчас... Всё». И тогда он переворачивал страницу.

Меж тем их совместный либидозный дух воспарял в какие-то мусульманские эмпиреи, повторяя внутренним взором увиденное глазами с небесной радостью и любовью; казалось, нет пределов человеческой низости и единству помыслов, и стоит только кликнуть иное существо, как оно с радостью поможет тебе в общем приятном деле, предоставив для этого свою плоть бескорыстно и безбоязненно, как заслуженный донор, отдающий кровь по зову сердца нуждающемуся в ней больному! Казалось, что мир добр и все люди — братья и сёстры и вместо того, чтобы драться и ссориться, они целуют и гладят друг друга и истинно любят сами себя!

Журнал кончился. Что-то буркнув, Левины побежали в ванную, закрывшись на щеколду. Она уже закрыла глаза и даже не могла понастоящему помочь ему раздеть себя. Левин путался в своих штанах, чертыхаясь; её руки ощупывали его, как руки слепого в светлой комнате, ищущие выключатель; Левин мысленно перебирал все эти картинки, думая о том, что бы такое сделать сейчас; капал кран и было очень неудобно, но они всё же соединились, представляя себя на сцене или на кушетке, наполненной до отказа шебуршащими парочками; но лишь фотография имеет вечную жизнь под солнцем — Левин же человеческий не вечен, и его восторг вместе с его попыткой полностью сублимировать свой мятежный дух в телесные радости краток и преходящ. «Вот и всё...» — удивленно подумал Левин, и ему нестерпимо захотелось надеть пиджак и выпить стакан шампанского.

— Нельзя так долго оставлять нашего гостя,— сказал Левин первое, что пришло ему на ум.

Левина же недовольно сморщила лицо и сказала:

— Ночью я тебе покажу гостей!

Она оделась и вышла. Левин остался один, вымыл руки с мылом, закрыл кран. «И это любовь? — подумал он,— и это всё? Все эти сексуальные старания не стоят такого результата. А если б тут была тысяча женщин? О, тогда бы я умер! Нет, надо жить скромно, не выпендриваться, как говорится, любить жену, растить детей, быть правоверным. И тогда, возможно, Бог оценит твои порывы и отблагодарит тебя по-царски. Вечный оргазм... Рай — это оргазм. Бред! И вообще, я хочу гурию».

Левин совсем расстроился, но потом вытер руки и пошел на кухню общаться с Фадеевым.

56

Проводы в армию Андрея Левина. Сорок человек пьют.

— Уж послужи за нас,— говорит Митя Синявский.— Ведь никто не служил! Искупи наши грехи!

Андрей плачет горючими слезами, и его, словно ребёнка, носит на руках какой-то друг. Кто-то обменивается телефонами. Жена Андрея Н. бегает по всей квартире, наглотавшись транквилизаторов. Ночью все спят вповалку, Андрей приходит в себя. Он осматривает лежащих друг на друге друзей и одевает плохие и рваные вещи. Он заходит в свою комнату — там тоже спят. Недопитый стакан с сухим вином стоит на полу. Жена Андрея Н. спит между Колей и Соколовым. Андрей Левин задумчиво закуривает. Он осматривает своё тело — оно не принадлежит ему, оно должно идти в военкомат к семи утра и делать массу всяких процедур. Андрей чувствует себя солдатом. Он собирает вещи, будит двух друзей и уходит в армию.

57
(примечание автора)

В процессе написания этого сочинения мне надоело называть своего главного героя «Андрей Левин». Я решил переименовать его, и отныне этого героя будут звать Иван Медведев.

58

Героин по древнему рецепту, отвечающему мировым стандартам. Достать фирменную контрабандную ампулу героина, откупорить её и содержимое ввести себе в вену. Пальчики оближете!

59

Иван Медведев лежит на своей кушетке и курит. По-моему, он устал от жизни и вообще одинок. Некая бездарная пустота, как отменённый эфир, витает в воздухе. Телефон заткнулся и не хочет больше быть рекламным приложением к проблемам досуга молодого человека, желающего вступить в хороший контакт. Нет, ребята, Иван хочет любви, чтобы напитать живительным ощущением свои душевные раны. Он хочет такой любви, которая перевернула бы весь его духовный мир. Он хочет любви, которая бы его глубоко перепахала. Он готов влюбиться в вилку, но не может. Поэтому он глубоко вздыхает и начинает пить чай. Вместо любви!

60

Иван Медведев лежит на кушетке и не курит. В это время звонит телефон, и некий голос является в трубке, прекращая собой феномен тишины.

— Стариканчик! Я жду тебя! Идёт всё к чёрту! Будем гулять!

69

Иван Медведев, улыбнувшись, одевается. Ибо не век молодому человеку кукушкой куковать, запершись в комнате среди плёнок рок-музыки, которая повествует нам о лёгкой жизни и о психических проблемах; но иногда выпадает и ему шанс тряхнуть половым органом и желудком, восприняв в организм пульсирующий, точно предынфарктное сердце, holiday. Иван Медведев любил праздники, и он очень надеялся на то, что любовь в виде соблазнительной души какой-нибудь особы раскроет для него свои врата новой жизни.

Он надел характерную одежду и с радостью вышел из дома. После путешествия в транспорте он прибыл туда, где Ярослав Иванов сжал его в своих объятиях, приглашая к журнальному столику, стоявшему в углу рядом с торшером, чтобы выпить кагора. Но кагора не оказалось, и они стали пить имбирную водку. Они пили её бесконечно, единственная дама в этой компании молча смотрела на них сквозь очки. Третий друг давно уже спал на полу, укрывшись пледом. Приближалась восхитительная ночь. И в эту минуту они опьянели.

— Давай её трахнем,— сказал Ярослав Ивану.

Тот задумался.

— А как же тот, кто спит?

— Это её возлюбленный. Но он спит. Впрочем, ему всё равно.

— Ну давай,— сказал Иван,— а как?

— Сиди пока. Я начну, а потом ты. Только не гони картину.

Дама в это время отсутствовала. Потом она пришла, и они допили имбирную водку. Они втроём сидели молча, не зная, как начать. Наконец Ярослав Иванов сказал:

— Ну что, будем ложиться спать?!

— Да! — сказала дама и встала.

— А куда же ты?

— Я пойду спать к Лёше,— сказала она, указав на возлюбленного.

— Ну что ты,— сказал Ярослав, выключая свет,— мы предоставляем тебе кровать...

— Нет, что вы... Я туда пойду.

Дама забеспокоилась, но улыбалась. Иван Медведев сидел в кресле, изображая то, что дремлет, но согласен со всем происходящим.

— Я тебя туда не пущу... Ложись здесь! — сказал наконец Иванов и толкнул даму на кровать, захохотав.

— Что вы хотите? — спросила дама, смутившись.

— Раздевайся, будешь спать. Не волнуйся.

— Нет, я туда пойду.

Медведев встал, включил нежную музыку. Ярослав Иванов начал уговаривать даму, склоняя её к любви. Она немного сопротивлялась, изображая удивление, но Иванов действовал прямолинейно и жёстко, не давая даме ни времени, ни желаний для отступления. Медведев сидел в кресле и наблюдал безобразие полового акта с потным одержимым мужчиной и женской грудой, разъятой под ним. Было довольно противно, но потом и у него — у Медведева — проснулось некое желание, несмотря на согласие с Леонардо да Винчи по поводу некрасивости половых органов. Он сидел, а чувства росли. Иванов демонстрировал чудеса потенции. Медведеву надоело, он встал, снял штаны, разделся и лёг с ними.

— Ну давай, но давай, быстрее... Я не могу! — начал он говорить Иванову. Но Иванову было плевать. Словно персонаж Баркова, он трахался, ничего не видя и не слыша. Медведев шлёпнул его по заднице — Иванов выругался, потом попросил ещё. Медведев начал опять канючить и просить своей доли. Он надоел Иванову до безумия. Тот отвалился от дамы и сказал:

— Давай. Можешь её трахнуть — она не против.

Он встал, включил музыку и сел на место Медведева. Медведев перелез через даму, накрылся одеялом.

— А может, не надо? — спросила дама.

— Надо,— мрачно сказал Медведев, поняв, что его обуял приступ импотенции.

— Ты же не хочешь,— сказала дама.

— Сейчас,— сказал Медведев.

Он начал представлять всякие грязные и пошлые картинки. Но вместо того, чтобы возбудиться, он почувствовал какую-то печаль, как будто прикоснулся к табу, и сердце его начало переполняться сладостным стыдом. Иванов сидел в кресле — он смотрел на них, он ждал, он был готов, он был мужчиной. Медведев обнял даму, почувствовав к ней ужасную нежность.

— Я люблю тебя! — закричал он.— Я сейчас ужасно люблю тебя... Я не могу... Я не могу.

— Ты потрясающий,— сказала ему дама,— настоящий человек никогда не сможет в такой ситуации.

— Да, наверное. Нужно послать всё... Нужно быть в чём-то животным. Я хочу быть животным. Человек никому не нужен. Сейчас имеют ценность только животные. Я действительно люблю тебя сейчас.

Она обняла его всем телом, ибо дамы любят такие слова, и начала целовать его. Он добился своего — бессознательный душевный извращенец — она захотела его. Она действительно захотела его!

69

— Эй ты, дружище,— сказал Иванов,— если ты не хочешь, уступи место!

— Подожди,— лирическим голосом сказал Медведев, поглаживая спину дамы.

— Я люблю тебя, я всегда тебя любил, я готов влюбиться в тебя, мне надоело моё тело, я хочу любви, любовь это есть нечто такое, что стоит предательства. Любовь невозможна, я хочу любить хоть вилку, я люблю тебя, и мне плевать на твоё тело!

Медведев говорил красивые слова, и дама балдела, уткнувшись в его щёку. Медведеву казалось, что он может говорить бесконечно. Даже со Сладкой Энн в начале знакомства он не чувствовал такого лирического настроя. В самый разгар своих речей Медведев понял, что он вполне готов осуществить свой мужской долг, и бережно дотронулся пальцем до кожи дамы, как бы спрашивая у неё разрешения. Дама конвульсивно повернулась всем телом набок, обняла Медведева ногами, и Медведев всё-таки начал её трахать, прекратив на время свой нежный монолог. Ибо секс есть продолжение любовного ухаживания другими способами.

Потом Медведев почуял ещё большую любовь к этой даме.

— Как тебя зовут, любимая? — спросил он.

— Наташа,— ответила дама, целуя Ивана в плечо. Они крепко обнялись, закусив друг друга, как удила, и задремали, укрывшись одеялом.

— Эй, вы! — закричал Иванов, встав с кресла.— Вы хорошо устроились. Давай-ка ты, Медведев, вставай. Теперь моя очередь.

Медведев повернул неистовое лицо.

— Слушай, Иванов, ты мне друг?

— Да.

— Оставь тогда меня с ней. Я её люблю.

— Её?!

Иванов не понимал. Он сказал:

— Я, конечно, оставлю, но это бред. Я не понимаю тебя.

— Я её люблю.

— Ты что — шутишь?

— Нет! Уйди отсюда! Я убью тебя сейчас! Ты мне друг? Я ничего не объясняю. Оставь нас, и всё.

— Как хочешь,— пожал плечами Иванов.

— Ты прав,— сказала вдруг дама.— Неважно, что я хочу... Так правильно. Но мне надо идти к Лёше.

— Послушай, Наташа,— зашептал ей в ухо Медведев,— давай сбежим отсюда! Давай выйдем чистыми из этой игры. Пускай все остальные занимаются всей этой фигнёй. Давай сбежим. Это будет лучшее воспоминание: утро, и мы вдвоём идём к чёртовой бабушке! И я буду любить тебя.

— Я очень хочу этого,— сказала дама,— но я не пойду.

— Но почему?

— Не знаю.

— Оставь её, дурак! — сказал Иванов.— Чем меньше женщину мы любим... Знаешь?

— Знаю,— грустно сказал Медведев.— Иди к Лёше. Я предложил тебе выход, но ты идёшь к Лёше. Мы остаёмся в нашем мире. Прощай, Наташа.

Она встала и легла к спящему Лёше. Рядом с Медведевым лёг Иванов. Через пять минут все уснули. За окном начали убирать снег.

Проспав положенное, они все встали. Лёша потягивался, Иванов и Медведев отвернулись, и дама оделась. Найдя в пепельнице какие-то более-менее приличные бычки, они покурили и пошли за пивом.

96

— Эй ты, дрянь, проститутка! — закричал Иван Медведев в лицо Сладкой Энн. Она стояла пьяная и с ненавистью смотрела на него.

— Я тебя больше не боюсь! — сказала она.

— Дура дебильная! Ты ещё повесишься! Я тебе устрою весёлую жизнь!

— Ничего у тебя не выйдет. Ты — ребёнок, алкоголик и импотент.

— А ты — дура.

— Мы расстанемся, а ты всё равно будешь со мной спать!

— С тобой будут спать одни уроды!

— Что ты орёшь?

Она сказала это спокойно и насмешливо, неожиданно вспомнив старинное обидное женское средство. Медведев на секунду растерялся, но потом опять закричал:

— Потому что ты раздражаешь меня своим дебильным существованием!

— Идиот,— сказала Сладкая Энн.

— Идиотка,— сказал Медведев.

Они стояли посреди комнаты, готовые броситься друг на друга. И Гудзон шумел на двух своих берегах.

61

Огурец. Сморчковое мясо. Лысая любовь. Деревянная мать.

62

Фиеста. Иван Медведев (Советский Союз) во фраке и запонках не спеша заходит в ресторан. Его друзья М.Синявский и Леонард Коган ведут под руки Маргариту. Должно быть, это «Метрополь», так как журчит фонтан, и вообще всё выглядит фешенебельно и мраморно. Официант, щёлкнув каблуками, как Штирлиц, протягивает меню. Гости кивают, рассаживаясь.

— Что мы будем?

— А сколько у нас есть?

— Два стольника.

— Отлично. Официант! Шампанского, коньяку, икры, жульена, вырезку с грибами, салатов... Остальное — потом.

Леонард Коган откидывается, затягиваясь «Кэмелом».

— Ну что, мудила,— говорит он, обращаясь к Медведеву,— погудим?

63

Фиеста. Медведев, Синявский и Лена в баре. Официант, ожидающий своей прибыли, вежлив и предупредителен. После пятого коктейля с джином Медведев кричит:

— Официант, дайте нам что-нибудь экзотического!

Как факир, выходит из-за стойки таинственный бармен с тремя железными сосудами и идёт к их столу. Он разливает коньяк, зажигает его и говорит волшебные восточные слова. Потом доливает туда шампанского, и напиток готов. Компания пьёт, наслаждаясь. Но нет пределов человеческим желаниям. Медведев зажигает спичку и говорит:

— Я хочу есть.

— А я хочу виски.

— Отлично. Тогда пьём сейчас виски и едем в ресторан.

Вечером, в два часа ночи, Медведев возвращается в свою комнату задумчивый и пьяный. Его жена Н. спит и, наверное, видит сны. Его дочь Марианна тоже спит. Медведев раздевается, ложится, толкает жену в спину:

— Эй ты! Просыпайся, я хочу тебя!

Н. продолжает спать, замученная своим материнством. Медведев смотрит на неё и пытается её погладить, чтобы пробудить в ней какую-то заинтересованность. Но всё тщетно. Тогда Медведев использует её, словно какой-нибудь некрофил, и только тогда засыпает, отвернувшись к стене.

64

Когда нам будет 64, кто-то из нас не выдержит однообразия своих текущих дней и, возможно, будет в иной реальности, где любовь, двигающая светилом, примет его в свои простые объятия. И Медведев будет дедушкой и будет слушать Секс Пистолз на завалинке, роняя слезу. Вся трясясь от старости, придёт к нему в гости Сладкая Энн, и они выпьют лекарство за чаем и будут молчать. Их тела будут соответствовать их душам, и климактерический разговор все-таки заполнит потом комнатное пространство. Кряхтя, Медведев ищет очки, чтобы прочесть телевизионную программу, а Сладкая Энн хлюпает чаем. Медведев говорит о вечном, Сладкая Энн слушает, как всегда.

— Знаешь что,— говорит она хитро, постарушечьи улыбаясь,— а чего бы нам теперь не пожениться? Мы люди одинокие...

Но Медведев встает в позу, держа в руке кружку с чаем.

— Никогда! — говорит он, опираясь на стол.— Никогда!

Он торжествует, он переволновался и тут же падает навзничь. С ним происходит инсульт.

65

Животрепещущий Медведев, лелея свое юношество, втиснут в рамки своей извечной комнаты, которая жаждет веселий и любви; он любит свою однокурсницу и её юбку на ней; он сидит, измождённый досугом, и хочет сдавать некий экзамен в институте и пить коктейли; ему нужно прикоснуться к ночной тьме и вдыхать запах чужого тела; он готов отдать судьбы всего человечества за чужую жизнь, не дающуюся ему в руки. Снег летит на свет, и Ринго Старр поёт эротическую песню о горечи постельной любви. Медведев набирает любимый номер.

— Я жду тебя, подожди немного, всё изменится, и вся эта кутерьма пройдёт,— говорит ему голос.— Всё будет хорошо в конце концов, ведь мир образует очарование всем происходящим! Атрибуты нашей жизни схлынут, и только смешные моменты останутся зажатыми в наших руках, как талисманы, которые умирающий берёт с собой в путь. Осталось совсем немного, и реальность не так проста и однолика, как кажется на первый взгляд. Мы проснёмся в Калифорнии на песке и будем смеяться над нашим сном! Ведь Бог есть любовь!

Медведев закуривает четвёртую сигарету.

66

Однажды Медведев лежит в постели вместе со Сладкой Энн, обнимает её плечо и наслаждается.

— Странно, но это всё пройдёт когда-нибудь,— говорит он.

— Да,— говорит она.

— Из всех разных теорий есть такая теория, что мир развивается, гибнет, зарождается снова и развивается в силу причинно-следственной связи, точно так же, как и раньше. Если это так, то я знаю, что, чтобы ни было потом, в конце концов я буду точно так же лежать здесь и обнимать твоё плечо.

— Может быть, так и будет.

— А может быть, я буду тигром, а ты — комаром.

— Может быть.

— Но в любом случае мы сейчас здесь, и сейчас мы — это мы!

67

Калифорния. Песок. Тугие паруса. Они просыпаются в объятиях. Медведев встаёт, едва не падая обратно, заправляет хайр за пояс и потягивается. Он видит перед собой огромное хипповское лежбище. Кто-то вовсю трахается в середине. Он идёт вперед, переступая через размалёванные тела балдеющих людей.

— Эй, Снусмумрик,— кричит он какому-то старцу,— у тебя нет ещё кислоты?

— Немного, Айвен,— говорит старик.

Медведев идёт к нему, тут его кто-то хватает за ногу, и он падает в кучу полуодетых негритянок.

— Чувак, почему ты мимо? — спрашивает одна.

— Отстань, у меня ломки, я иду за кислотой.

— Парень, заторчим вместе,— говорит негритянка,— у меня как раз две дозы.

— О'кэй.

Но тут ряды лежащих будто вздрагивают, смятые и перепутанные каким-то внутренним явлением. Сквозь них продирается обеспокоенная Сладкая Энн.

— Любимый! — кричит она.— Где ты? Мы проснулись! Куда ты ушёл?

Медведев смотрит на неё, соображая. Потом говорит:

— Эй, отвали. Ты мне надоела. И вообще у меня был интересный «трип», я хочу его продолжить. Я ещё не опохмелился пивом в сосисочной на Пушкинской площади!

Хохот всех близлежащих сопутствует этим словам.

— Так что пока, крошка! Я возвращаюсь. А может, с тобой у нас лучше получится? — оборачивается он к негритянке и целует её в чёрную грудь.

68

Он сидит у себя дома, закуривая очередную сигарету. Ему скучно и неинтересно, и музыка более не вдохновляет его на психические подвиги. Сновидение тлеет в его душе, и мозги его размышляют. Оконное стекло по всем правилам ленинской теории отражает его облик, почти не искажая его сущность. Новые развлечения поджидают его за углом дней и недель. Рефлексия, как вода, стекает с его рук и ног. Он душевно пуст, как изнасилованная старая дева. Он глядит в глубь себя, исчезая в головной полости. Он видит кровь, текущую внутри руки. Он видит превращение пищи в любовное желание. Он видит своё здоровье, взорванное сигаретой. Он видит тело. Он есть он.

69

Медведев ждал. Он ждал миллионы лет сквозь жизнь и секунды. Он решился. Его кулаки были сжаты, он смеялся над самим собой и был готов к решительной схватке. Событие должно произойти. Он должен совершить это. Человек должен бороться за свои воспоминания. Жизнь должна иметь последствия. Медведев должен действовать.

Сладкая Энн позвонила в дверь, и Медведев открыл ей. Она была румяная и холодная и вся в снегу. Словно канатоходец, Медведев осторожно снял с неё дублёнку и повесил на вешалку.

— Проходи,— сказал он, показывая путь к своей комнате.

Она села на пол, а он на стул.

— У меня есть ликёр,— сказал Медведев, доставая чашки.— Музыку, если ты не против?

— Давай,— согласилась Сладкая Энн.

Он поставил музыку.

— Ну что,— сказал он, разливая ликёр,— поздравляю тебя с твоим существованием в этой Вселенной!

Они выпили ликёр. Сладкая Энн откинулась назад, прислонившись спиной к стене. Медведев сел рядом и начал её целовать. Они целовались довольно долго, потом Медведев начал пытаться залезть к ней под свитер.

— Ты что,— удивилась Сладкая Энн,— трахнуть меня вздумал?

— Да,— сказал Медведев.

— Не получится,— сказала Сладкая Энн.

— Почему?

— У тебя мама сидит на кухне, да и вообще...

— А моя комната закрывается изнутри! — торжествующе объявил Медведев, продолжая свои попытки.

— Убери,— сказала Сладкая Энн,— у тебя руки холодные. А что, дверь запирается?

— Да.

— А если мама постучит?

— Не постучит.

— А если?

69

Они заговорщицки посмотрели в глаза друг другу.

— Не постучит!

— Не постучит, значит? Ага!

Сладкая Энн хлопнула в ладоши, встала и подошла к кровати. Она выбросила всё бельё на пол, оставив только одеяло. Медведев закрыл дверь. Сладкая Энн сняла свитер. Он стоял и смотрел на неё.

— Ну что ты стоишь! Раздевайся! Если ты меня сейчас не трахнешь, тогда — всё!

Медведев начал раздеваться. Потом они легли рядом. Медведев не проявлял никаких знаков внимания.

— Ну и что же дальше? — ехидно спросила Сладкая Энн.

— Я не могу. Сейчас...

Они лежали молча ещё минуту. Потом Сладкая Энн протянула руку и начала гладить его. Она обняла его и поцеловала в щёку.

— Ну что ты... Что ты так переживаешь... Ведь я тебя люблю.

— Да?

— Да! Расслабься. Это всё не имеет никакого значения. Трогай меня — я сейчас с тобой!

Медведев осторожно тронул её тело. Тело вздрогнуло, словно эпилептик, и накинулось на мужскую жертву. Медведев принял вызов и начал терзать это озверевшее тело, словно пытаясь вытрясти из него душу, которую он любил. Он улыбнулся и понял, что сейчас он может сделать с ней всё, чего ни пожелает его природа, взгромоздился на неё, словно неумелый чтец на трибуну, и они соединились, как в детском сне,— почти не чуя плоти друг друга.

И это кончилось почти моментально, так как было воспоминанием, и просто осталась некая новорождённая связь, похожая на связь между фотокарточкой и печатью, которую только что на неё поставили.

Медведев закурил и почувствовал себя очень хорошо. Он не имел мыслей. Сладкая Энн толкнула его в бок.

— Эй, ты! Нам, кажется, сделали там чай, поэтому нужно вставать.

Они встали и оделись и сели на кровати, и чай освежил их настроение, прибавив обыденную прелесть к делам смертных людей. Задушевная беседа, словно очистительная молния, объединила их руки.

Они шли по чёрной улице вперёд, чтобы проститься со Сладкой Энн, которую ждал её дом и другие обстоятельства. Он засунул руку в её варежку, и они грели свои нервные окончания сами о себя, беседовали о чём-то ещё и смотрели на снег. Они шли, и любовь зияла в их душах.

1987

Я ХОЧУ СТАТЬ ЮКАГИРОМ

Я ХОЧУ СТАТЬ ЮКАГИРОМ

Софрону Осипову

Хеджо! Устав от вяленой моральной жизни, в которую погружён развратный и гнилостный городской житель, я понял, что мне надоело быть белым человеком. Мне надоело одиночество пустых комнат в темноте своего дома, где хочется терзать живую плоть, но бьёшься головой в стены или сидишь на тёплой небольшой кухне, размышляя о том, что завтра будет день опять, в то время как душа изнемогает от тёмных желаний и рвётся на чёрный Север, где можно достичь края земли и выкрикнуть в разноцветное небо какой-нибудь короткий торжествующий вопль вместо длинной умной беседы. Иногда мне кажется, что я рождён не для того, чтобы разговаривать, а чтобы вопить. Я могу часами стучать по столу, как по барабану, погружаясь в мрачную медитацию первобытных существ: и не хватает только ласковой полуголой жрицы со мной, чтобы она напела мне на ночь глядя скрипящую от своих дерзких и мучительных диссонансов безумную песню враждебной человеку Природы, которая засыпает тревожным урчащим сном и величественно ждёт своих заклинаний, чтобы очнуться от спячки и горячим костром вознестись к скучному небу.

Когда я иду ночью через тёмный лес, мне хочется встать на четвереньки и ускакать в таинственный снежный простор, внутри которого, свернувшись калачиком, безмятежно спят медведи и землеройки, и мне хочется застыть там посреди животной тьмы и жить, излучая свет голодных зелёных глаз, который, как удвоенный и падший нимб, словно фонарь, осветит мне мой жизненный путь.

Я не в силах сделать ничего нового. Второй Герострат вряд ли добьётся своего, и кроме того, ещё и глупо совершать поступки с таким элементарным смысловым наполнением. И всё же мне надоела моя характернейшая жизнь.

Я сижу в своей полутёмной одинокой комнате, пью растворимый кофе и подсчитываю, сколько же мне ещё осталось времени для жизни. В принципе, не так много — поэтому можно особенно не волноваться, пройдёт само собой. Но не лучше ль всё-таки сделать хоть что-нибудь, вместо того чтобы так же, как и все вокруг, заниматься интеллектуальным давлением на окружающих, заставляя их мусолить разнообразные идеи, возникающие в твоей умной голове в то время, как она пьёт виски и наслаждается приятной реальностью?

Меня интересуют и идеологические вопросы. И не могу я преодолеть существующее во мне от рождения отвращение к церкви, хотя я и признаю её величие и вселенский смысл. Я уважаю профессию священника, но в глубине души он наводит на меня ужасную скуку старославянскими словами и надрывным поведением. Я не люблю Пасху, когда крестящиеся старухи своими выступающими задами оттесняют тебя к выходу, если хочешь ближе взглянуть на таинство, а мрачные субъекты, словно готовые растерзать твою изможденную долгим стоянием плоть, делают тебе злобные замечания, касающиеся местного этикета. Горящий лампочками лозунг навевает уныние, и вообще, всё происходящее не вызывает никакого доверия — собрались и разошлись. Обескровленная, милая, приятная религия. А ведь когда-то Бог убивал целые народы!

И стою я в такой церковной толпе, и как будто хочется пробить эти сковывающие свою суть толстые соборные стены и, уничтожая твёрдым лбом ограничивающий простор купол, вылететь вверх отсюда — в холодную и сладкую бесконечность.

Впрочем, всё это только мелкие причины моего истинного желания — желания стать юкагиром. Юкагиры — маленький, затерянный в северной тайге народ, сейчас их насчитывается где-то человек триста или четыреста, и они честно вымирают, вырождаясь и не приемля нового времени. Возможно, они все болеют сифилисом, который передаётся из поколения в поколение, но всё же они — люди и, может быть, даже лучшие из нас, поскольку их мало, и они чем-то напоминают больше тайное общество со своим языком и верой, чем народ с территорией и армией. По крайней мере, юкагир интересен уже тем, что он — юкагир. А чем интересен московский живописец, если, конечно, он — не великий художник? Я думаю, что всё его мировоззрение не стоит одного слова юкагирского шамана, а всё его творчество — одного юкагирского рисунка. История вершится на наших глазах, и, может быть, именно юкагир говорит нам истину, поскольку он выкрикивает её на пороге гибели своих людей и своей тайны, и, чёрт возьми, если б я был богом, юкагир представлял бы для меня больше интереса, чем банальный православный или католик.

Так или иначе, может быть, необходимо начать спасение вымирающего народа юкагиров: нужно освежить их кровь, нужно дать им поддержку, нужно провозгласить клич нового социального движения — «В юкагиры!» — и неужели не найдутся честные люди, которые бросят своих скучных жён, глупых детей и немощных бабушек и возрадуются великой возможности стать полностью иным человеком?

Быть может, я, который готов разделить трудности и радости бедных болезных юкагиров, буду истинным христианином; может, в этом есть высшее сострадание к человеку — твоему ближнему, чему нас учил Христос? Ведь видел же Франциск Ассизский во сне, как он обнимает прокажённого, который превращается в Христа, почему же я не смогу увидеть Христа в бедной юкагирской женщине с провалившимся носом, когда она со стоном и заклинаниями будет дарить мне свою первозданную любовь? Неужели же я не буду любить её на самом деле? Мне будет плевать на её тело — я буду видеть её несчастную, некрещеную душу, которая гибнет в потёмках мрачной тайги и вымирает из-за нашествия новых трансцендентных верований, и я отрину в себе свою белую гордыню, и мороз навеки соединит наши тела, и мы застынем в блаженном, никем не оценённом поцелуе, как у Родена, и последующие поколения людей, откопав нас через миллионы лет, может быть, скормят нас своим собакам, и на миг наши тела оттают, и северный дух сойдёт на землю и спасёт наши нетленные сущности от позора!

Всё решено, всё решено, назад пути нет, и куплен билет, и самолёты увезут меня в тундру, где я скроюсь навсегда. Но пока что остаются некоторые формальности.

Я прихожу в институт красоты, я одет в изящный костюм, и французский одеколон приятным ароматом окружает моё лицо и шею.

— Что вам нужно? — говорит мне прекрасная блондинка с вишнёвым ртом: на ней белый халат и чёрные чулки.

— Я хочу быть юкагиром! — говорю я и подмигиваю ей.

— О,— улыбается она в надежде на продолжение.— А кто это? Вы и так красивы... Даже очень.

— Я знаю,— смущённо говорю я.— Но я хочу быть некрасивым. Я хочу поменять расу. Мне нужно стать монголоидом северного типа. Узкие глаза, приплюснутый нос — в общем, вы понимаете...

Она остолбеневает и смеётся.

— Вы издеваетесь надо мной?

— Нет, хотя и да. Вы мне не нравитесь. Могли бы, работая в институте красоты, немножко и о себе подумать.

Это очень невежливо, но мне — будущему дикарю — плевать на вежливость, пора ведь и привыкать к иным манерам. Кроме того, это было последнее средство уговорить её — и вот уже меня везут на операцию, и очаровательная блондинка потирает руки, предвкушая, что она со мной сейчас сделает!..

Мои белые волосы я просто-напросто крашу, и вот я почти уже северный азиат: как хорошо, что я захотел стать юкагиром, а не негром, это было бы намного сложнее устроить.

Юкагирский язык я не буду учить в принципе. Во-первых, там нету письменности, а во-вторых, я заново рождаюсь, поэтому я буду как неразумный младенец — пускай меня учат всему, пускай первые свои новые слова я узнаю от их подлинных носителей, для которых ничего не значит то или иное имя. Итак, первое время я буду немым юкагиром, даже — учеником юкагиров.

Я боюсь — возьмут ли они меня к себе, оценят ли мою жертву и подлинность моих порывов? Но ведь выходил однажды Маклай к папуасам, и всё обошлось хорошо, а ведь он не захотел полностью принять их мир. В конце концов, всё зависит от меня. Если моё желание абсолютно искренне и исходит из глубины сердца, то опи почувствуют это и дадут мне в жёны достойную, хотя я согласен и на самую отвратительную из их женщин — ведь всё-таки я не юкагир по крови и поэтому среди них я — самый презренный.

Но — прочь все сомненья! Я не беру вещей, я не беру денег, я не беру ничего. Быть может, меня примут за «чучуну», и тогда мне предстоит шататься всю жизнь по тайге, если я смогу там выжить, но я верю, что я пробьюсь к вам, о, юкагиры! Я сажусь в самолёт, и какой-то якут обращается ко мне по-якутски — все-таки молодец эта прекрасная блондинка, я пошлю ей северные цветы в подарок за блистательную работу!

Я молчу и не отвечаю якуту. В настоящее время я — никто, я еще не юкагир. Но в отличие от многих, я уже знаю, кем я точно буду. А вы можете такое сказать про себя? После смесей всех наций и народностей, как можно точно утверждать про себя, какую именно национальность вы представляете? По меньшей мере, это глупо. Но всё это старые вопросы. Когда я стану юкагиром, меня всё это не будет волновать.

И вот, словно во сне, я вижу, как закончены все перелёты и долгие переходы: лиственничная осенняя тайга встает передо мной, словно бесконечная Вселенная, созданная непонятно чьим Богом; болотистые кочки покрыты небесной синевой от голубики, которая мириадами голубых точек заполняет всю почву под ногами: вдали летают утки и орлы, и я бегу с дикими воплями туда — я не боюсь заблудиться, потому что мне всё равно, я забываю свой язык, я забываю своё имя и свои проблемы, я хочу кувыркаться, словно расшалившееся животное, я хочу стонать и визжать и молиться солнцу, потому что оно греет, я хочу выкрикивать заклинания, любить одну женщину и умножать семя моего народа, и вот я вижу в лесу каких-то диких и настоящих людей,— и, выкрикнув истинное приветствие, я бегу к ним.

Я хочу стать юкагиром!

1986

МОЛЧАНИЕ — ЗНАК СОГЛАСИЯ

Неизвестный рядовой лежал в окопе, и над ним, свистя, пролетали пули. Через сорок два года десятиклассники копали как раз в этом месте землю, чтобы извлечь останки бойцов и похоронить их как подобает. Неизвестный рядовой сжимал винтовку и одиноко стрелял туда, где был предполагаемый враг. Рядом с ним находился сержант Петренко с пулемётом, выкрикивавший матерные слова с такой же скоростью, как и его пулемет, изрыгавший очередь. В природе были сумерки и лето; кого-то уже поубивало, а остальные стреляли из винтовок, пытаясь кого-то убить. Где-то вдали взрывались гранаты и снаряды. Иногда пули попадали в деревья, и тогда отсоединенные ветки мягко падали на почву.

Неизвестный рядовой думал: «Я, наверное, уйду к немцам. Всё уже ясно с этой войной. Я изучал немецкий в школе. И вообще, я — казак. Я очень устал, и мне грустно».

Сержант Петренко рядом с ним издавал дикие звуки и со страстью жал на спусковой крючок пулемёта, как будто бы точность пуль зависела от силы его нажатий на крючок. Он ни о чём не думал, потому что очень хотел прикончить гадов. Рядом воевали другие солдаты и умирали с ружьями в руках. Наверное, невозможно было спастись. Через сорок два года десятиклассники нашли очень много останков бойцов в этих краях.

Неизвестный рядовой зарядил патрон в винтовку и выстрелил наобум. Он не знал, куда летит его пуля. Может быть, она прервала немецкую жизнь. Он думал: «Я не люблю Петренко. Он гад, он коммунист. Коммунисты расстреляли моего отца. Коммунисты посадили в тюрьму мою мать. Петренко мой друг. Петренко мой сосед. Я всегда его не любил. Мы уходили на фронт вместе. Я записался добровольцем. Я сейчас сумасшедший. У Петренко осталась жена. Очень красивая жена. Он сержант. Я не люблю его! Немцы еще хуже. Но я попробую новой жизни. За отца! Я должен что-то сделать, вместо того чтобы умирать здесь, как идиот. Фашисты чуть-чуть лучше коммунистов. Фашисты не убивают своих отцов».

В дальнем углу окопа лежал рядовой Лысенко. Это был огромный красивый человек с кудрявыми волосами, бывший тракторист. Он сосредоточенно вглядывался в сумеречный воздух, стреляя регулярно, словно часы. Он думал о своём долге отстоять землю, на которой лежал. Он вспоминал школьные уроки немецкого, желал бы сейчас ругаться матом по-немецки, но в школе этого не изучали.

В конце концов всех убили вокруг, кроме неизвестного рядового, Петренко и Лысенко. Патроны кончались, но Петренко, видимо, не замечал этого. Он достреливал то, что осталось, всё так же неистово. Лысенко почему-то смолк.

Неизвестный рядовой думал: «Несчастный, ты так и не узнаешь никогда, что я был любовником твоей жены. Ты не узнаешь, как я любил её. Больше ты не будешь стоять на моём пути. Сейчас я кончу тебя и — к немцам».

Неизвестный рядовой вытащил из-за пазухи нож. Он подкрался к стреляющему Петренко и вонзил ему этот нож в спину. Громко закричав, Петренко отпал от пулемета. Неизвестный рядовой вынул нож из раны и вытер его о песок окопа.

— Ты что?!! — закричал на другом конце окопа Лысенко и встал.— Ты убил его?!!

Он взял винтовку, зарядил патрон и направил её на неизвестного рядового.

Неизвестный рядовой подумал: «Ну, всё. Я не учёл, что этот ещё жив». Через сорок два года десятиклассники нашли в этом месте заржавевший нож. Лысенко нажал на спусковой крючок, но произошла осечка. Лысенко сильно выругался, но тут же рухнул обратно в окоп, сражённый немецкой пулей.

Неизвестный рядовой подумал: «Ага, отлично. Сама судьба за меня. Теперь не осталось никого».

Но тут неизвестный рядовой услышал какие-то слабые стоны рядом с собой. Стонал сержант Петренко, который ещё не умер от ножевого ранения.

Неизвестный рядовой подумал: «Что же с ним делать? Я не люблю тебя, мой верный друг. Ты коммунист и карьерист. Ты бил свою жену, а я её любил. Но если ты выжил, я не могу резать тебя снова. Пусть будет воля Божья!»

Неизвестный рядовой поднял истекающего кровью Петренко и выставил его над окопом, зажав ему руки сзади, чтобы тот не вырвался. Не прошло и минуты, как три пули добили несчастного.

Неизвестный рядовой выкинул труп Петренко из окопа и подумал: «Теперь моя совесть чиста. Пора бежать к немцам. С другой стороны, зачем мне немцы? Они тоже очень жестоки и отвратительны, как вся наша жизнь. Может быть, лучше застрелиться и покончить со всем сразу? Нет, я малодушный и вообще хочу жить. Думаем логически. Так как среднего между советскими и немцами в данной ситуации нет, придётся выбирать немцев, поскольку, хотя и трудно будет установить мою причастность к смерти Петренко, всё же моя слабая совесть не даст мне спокойно смотреть в глаза товарищам. И потом — зачем я тогда убивал Петренко, моего лучшего друга, если я не пойду к немцам? Сказал "а", говори "б". Всё, решено. Но лучше всё-таки подождать немцев здесь, чем идти к ним через всю линию фронта, это — опасно. Итак, я остаюсь здесь. Надо только посмотреть, далеко ли они — немцы».

Неизвестный рядовой на секунду высунул голову из окопа и посмотрел вдаль. Но как раз в ту же самую минуту в его лоб попала немецкая пуля. Через мгновение неизвестный рядовой уже был мёртв.

Через сорок два года на этом самом месте десятиклассник Костя Петренко откопал останки неизвестного рядового. Он взял его череп, пробитый пулей, в свои руки, опасливо посмотрел на него и почему-то сказал:

— Имя твое неизвестно, подвиг твой бессмертен.

Неизвестный рядовой был похоронен на том же месте, с почестями.

День смерти Ленина, 1988

ЧЕЛОВЕК-МАШИНА

Ты закуриваешь и чувствуешь дым, проникающий в глубь телесной оболочки. Ты стоишь на поверхности земного шара и начинаешь чесать левую щёку правой рукой, чтобы прошёл зуд, возникший до этого. Слюнные железы, откликаясь на действия дыма, начинают вырабатывать слюну, и твой рот ощущает её накопление в тебе самом, и ты плюёшь перед ногами на асфальт, а потом чешешь языком свои передние зубы. Затем, тронув альвеолы, язык замирает на отведённом ему месте, и ты перестаёшь думать о нём. Твои мысли заняты проблемами эстетики, и в то время, как одни мозговые клетки выясняют вопрос возникновения эстетической первоосновы всего сущего, другие клетки радостно и с небольшим сомнением наблюдают мысли, рождённые от биологической работы размышляющей части мозга.

Ты начинаешь ходьбу, шагнув вперёд правой ногой; ты воочию наблюдаешь свои ноги, не дающие тебе упасть на землю согласно силе тяжести, в то время как ты переставляешь их попеременно, чтобы двигаться вперёд. Ты вдруг ощущаешь начинающее желание позже сходить в туалет, но тебе это не к спеху. Мысли замирают, прекращая свой ход, и ты чувствуешь пот на лбу, выступивший из потовых желез.

Ты выбрасываешь сигарету, сигарета падает в лужу, шипит и потухает. Ты соображаешь, что тебе физически плохо; скорей всего, у тебя похмелье, и твои лопатки чувствуют некоторое неудобство, находясь под кожей, они дрожат, приподнимая плечи, которые коробят пиджак.

Ты смотришь на свои ноги, ботинки почищены, но на передней стороне джинсов осела какая-то грязь. Ты топаешь ногой по асфальту, решаешь опохмелиться чем-нибудь; душевное устройство, уже готовое к началу небольшой депрессии, радуется этому решению, и где-то внутри живота начинается некая эйфория, завершающаяся лёгким ознобом затылка. Химическое действие природных опиатов достигает мозга, и тебе становится приятно жить на белом свете. Глаза обращаются вверх, сквозь роговицу приходит образ голубого неба, отражаясь, как в полупрозрачном зеркале; значит, небо объективно реально и совсем не зависит от тебя. Выражение твоего лица скоро принимает соответствующий духовным процессам вид.

Через несколько секунд ты начинаешь действовать. Быстро садишься в троллейбус, быстро берёшь билет, стоишь положенное время, выходишь на нужной остановке. Ты пренебрегаешь этим временем своей жизни как несущественным. Выйдя, ты снова обретаешь способность чувствовать мир и своё биологическое воплощение в нём.

Вдруг, вдыхая ноздрями осенний воздух, твои лёгкие чувствуют его свежесть, посылая сигналы в мозг, а уж он-то разражается целым каскадом образов и настроений, которые лень воплощать в слова и понятия,— сам мозг понимает, что ему лень. Он словно разделяется на несколько частей, одна из них представляет свободные ассоциации, а другие, отмечая это, ленятся вычленить что-либо ценное для запечатления в словах или мыслях. Рациональная часть мозга напряжённо думает об этой проблеме, подключается память, утверждающая, что всё это — важный философско-лингвистический вопрос, требующий длительного рассмотрения.

Потом все условные части мозга как бы воссоединяются, поскольку возникает мысль о том, что ты сегодня должен сделать некоторую работу. И снова тебе плохо и скучно, и правую руку ты суёшь в карман пиджака, щупая подкладку, но глаза устремляются вдаль, они видят пиццерию с шампанским, и тут ты становишься един — пошло всё на фиг; чтобы выстоять перед своими чувствами и настроениями, нужно выпить алкоголь, он поможет и телу и душе, хотя, как отмечает мозг, ты не алкоголик; но если ты выпьешь немного, тогда и потребность в работе отпадёт, ибо работа есть фикция, а твоё существование реально. Тут твои губы улыбаются, гортань издаёт звук.

И вот ты заходишь в пиццерию, ощущая тщету человеческой жизни. Ты вспоминаешь христианство, смиренно думаешь о воскресении. Твой мозг, как внутренний редактор, не даёт тебе богохульствовать, он весь словно приосанивается, хотя детское подсознание норовит подсунуть какую-то мерзкую словесную фразу. Вдруг тебе предстаёт внутри головы ясная картина золотого Будды, раскрашенного яркими красками. Ты укрепляешься в мысли того, что ты прав, и рука в кармане пиджака хочет изобразить какой-нибудь буддийский жест, но мышечная память никак не может вспомнить точное расположение пальцев. Огромное слово «дзэн» появляется на экране твоего внутреннего зрения, и ты подходишь к стойке бара почти успокоенным, ощущая в соответствии с йогой своё тело от шеи как совершенно независящий от тебя объективный материал. Ты покупаешь коньяк и шампанское, ноздри чувствуют запах спирта, им неприятно. Но ты гордо садишься за столик и выпиваешь коньяк.

Ты сидишь. Состояние твоих разных внутренних органов, находящихся под шеей, говорит тебе о том, что можно и закурить, тогда левой рукой ты хлопаешь свой пиджак по карману, проверяя наличие сигарет, а потом достаешь одну из них, выкладывая пачку на стол. Потом, осмотрев глазами ещё раз стол, за которым ты сидишь, ты думаешь о том, что пачку сигарет нужно положить обратно, так как это не фирменные сигареты, а «Космос», поэтому хвастаться нечем, и ты засовываешь пачку снова в карман.

Тело ощущает какое-то приглушение своей деятельности, опохмеление не наступает, ты броском устанавливаешь левую руку перед глазами, чтобы рукав рубашки, сдёрнувшись с предыдущего расположения, дал тебе возможность наблюдать часы. Внутренние клетки головы, преобразуясь в продукт своей деятельности в виде мыслей, утверждают, что через пять минут должно наступить опохмеление. Другие мысли говорят, что это не так; потом мозг снова становится единым и приглашает твою руку и рот выпить немножко шампанского, дабы ускорить химические процессы в организме, вызванные поступившим внутрь коньяком.

Рука хватает бокал, и ты пьёшь шампанское, обхватив губами стенку бокала. Потом ты ставишь бокал обратно на стол, не допив примерно половину налитого в нём шампанского. Ты сидишь несколько секунд, почти что ничего не делая, потом ты обнаруживаешь в левой руке сигарету, ты спешно вставляешь её между губ, зажигаешь спичку, подносишь её к концу сигареты, делаешь вдох — и куришь.

Сделав три затяжки, ты стряхиваешь пепел в пепельницу, ударив по сигарете указательным пальцем руки, которой ты держишь сигарету. Голова чувствует головокружение, потом начинается всеобщая эйфория. Тело быстро проходит промежуточное состояние между похмельем и опьянением и чувствует себя наконец слегка пьяным. Тебе хорошо — больше нечего сказать. Мозговые клетки ощущают некоторую тупость, но это сладостно; душа же готова умереть сию секунду, так как забыла свои грехи. Буддизм побеждает — такие слова сложил твой снова единый мозг.

Ты резко допиваешь шампанское, почти не замечая своих действий, стряхиваешь пепел, встаёшь и выходишь из пиццерии.

На улице ты выкидываешь сигарету далеко-далеко. Потом плюёшь, освобождая рот от скопившейся в нём слюны. Ты идёшь медленно, подошвы ботинок шуршат по асфальту, и ты представляешь себя замученным больным.

Наконец ты заходишь в телефонную будку. После разного рода нужных действий, совершаемых тобой для вызова абонента, ты закидываешь правую ногу за левую, прислонив свой носок к стенке телефонной будки, и ждёшь ответа. Тебе отвечает женский голос, и ты чувствуешь себя очень виноватым.

— Алло! — говорит твоя гортань, издавая робкую интонацию.— Это ты?

— Это я,— говорит в твоё ухо женский голос в телефонной трубке.

Нервы, расположенные внутри уха, с дикой скоростью доносят звуковую информацию в твой мозг, который немедленно её расшифровывает, посылая сигнал в гортань и внутреннюю полость рта.

— Я очень виноват перед тобой.

— Это я виновата.

— Давай встретимся.

— Приходи ко мне, если хочешь.

— Еду.

Ты помещаешь телефонную трубку в специальное устройство, в котором она висит, зафиксировавшись, и выходишь на улицу. Быстро ловишь такси, такси быстро едет, ты расплачиваешься с шофёром, считая и это время своей жизни несущественным.

Ты поднимаешься в лифте. До этого ты входил в подъезд, поднимался по небольшой лестнице, нажимал на кнопку лифта. Всё это уже в прошлом. Сейчас лифт остановился. Ты входишь, нажимаешь на кнопку звонка. Твои глаза видят открывающуюся дверь и девушку в красивом платье.

— Убей меня!

Твой мозг понимает, что это говорит девушка. Но ты недоумеваешь. Пока ты этим занят, из твоего рта начинают вылетать членораздельные звуки, колеблющие воздух между тобой и девушкой и образующие волны различных длин, которые легко воспринимаются ушами девушки.

— Почему ты так говоришь? Я виноват перед тобой! Я целовался с Катей в ванной!

Ты чувствуешь гордость от признания, искреннее чувство сейчас доминирует внутри твоей головы.

— Ты разве забыл? Ведь я виновата. Я была пьяна и трахалась с Петей, Сережей и Колей на кухне!

Это уже струятся членораздельные звуки изо рта девушки, губы которого принимают разнообразные звуки, чтобы образовать волну той или иной длины.

При поступлении в твой мозг эта информация начинает влиять на твои эмоции, которые испытывают некоторое страдание. Твои глаза смотрят налево, и ты неожиданно понимаешь, что сидишь в кресле, хотя твоя память не говорит тебе ничего о том, как ты в него сел.

— Ах, да-да-да-да... Я помню.

В мозгу начинает образовываться картина девушки, Пети, Сережи и Коли. Мозг испытывает негодование, сердце начинает биться довольно сильно.

— Я раскаиваюсь.

Это снова членораздельный звук девушки.

Твой мозг подумывает о задушении девушки на манер Дездемоны. Глаза рассматривают её тело. Ты ощущаешь лёгкую эрекцию, подходишь к девушке, руки берут её плечи, твой рот произносит:

— Я прощаю тебя.

Передняя сторона головы девушки, именуемая лицом, изображает потрясение. Руки девушки берут твои плечи. Твои руки начинают гладить плечи девушки, потом ты пододвигаешь своё лицо к её лицу, помещая свои губы напротив её губ. Потом ты касаешься её губ, а потом раскрываешь свой рот — и тут она раскрывает свой. Ты всовываешь свой язык прямо в рот девушки, ощущая её альвеолы и кончик её языка, который она, расположив под твоим языком, всовывает в твой рот, попадая между нижними зубами и задней стенкой твоей нижней губы. Потом вы вместе с девушкой водите своими языками туда-сюда внутри полостей рта друг друга. Твоя эрекция увеличивается, ты немного отступаешь от девушки, продолжая поцелуй, и правой рукой достаёшь из-под резинки юбки девушки конец её рубашки, освобождая его. Потом ты засовываешь свою правую руку в пространство между телом девушки и обратной стороной ее рубашки. Двигая руку вверх, ты всовываешь её под лифчик девушки, ощущая пальцами грудь, после этого ты берёшь большим, указательным и средним пальцем её сосок, а потом уже гладишь грудь, вместе с соском посередине, всей своей правой рукой.

Своими глазами ты наблюдаешь на лице девушки выражение, говорящее твоему мозгу о её сексуальном возбуждении; ты отходишь от девушки и идёшь с ней в комнату с кроватью. Ты садишься на кровать, снимаешь с себя всю одежду. Девушка тоже садится и тоже снимает одежду, потом ложится на кровать. Ты ложишься рядом с девушкой и начинаешь гладить ладонью правой руки кожу тела девушки. Потом окончанием своих пальцев, исключая большой, ты залезаешь в начало полового органа девушки, который абсолютно отличается от твоего. Ты чувствуешь выступление некоей слизи из полового органа девушки на своих пальцах. Тогда ты ложишься на девушку, которая раздвигает свои ноги, и, беря свой половой орган в состоянии эрекции большим, указательным и средним пальцами, ты вводишь его в половой орган девушки. Кожа твоего полового органа чувствует приятную прелесть, соприкасаясь с внутренними стенками полового органа девушки. Тогда своими тазобедренными мышцами ты поднимаешь немного свой таз, почти что вынимая половой орган из полового органа девушки, а потом опять опускаешь свой таз. Такую операцию ты делаешь довольно долго и достаточно быстро. При этом ты приподнимаешь торс своего тела, упираясь руками в поверхность кровати, и глазами наблюдаешь лицо девушки, отмечая появившуюся на лице смычку век, закрывающую глазные яблоки.

Твой мозг думает о том, что его литературному вкусу не нравятся стихи Некрасова, но нравится поэма «Кому на Руси жить хорошо». Рациональная часть мозга понимает, что эти мысли вызваны общим желанием твоего организма продлить половой акт с девушкой, поэтому ты сознательно отвлекаешься на литературу, хотя и не забываешь приподнимать и опускать таз.

Потом ты чувствуешь приближение оргазма. Наконец ты его испытываешь, наслаждаясь им, и ощущаешь продвижение своей спермы по каналу полового органа прямо в половой орган девушки. Ты перестаёшь делать движения тазом, обхватываешь руками шею девушки и лежишь так некоторое время. Потом ты вынимаешь свой половой орган из полового органа девушки и помещаешь всё свое тело рядом с девушкой на кровати.

Твой мозг испытывает большое морально-лирическое волнение. Ты раскрываешь рот и издаёшь множество членораздельных звуков.

— Это будет нашим прощанием. Я хотел вспомнить тебя. Извини меня. Но мы больше никогда не сможем быть вместе. Как ты могла трахаться с Петей, Сережей и Колей? Я больше не увижу тебя, хотя я люблю тебя и буду любить тебя всю жизнь. Я больше не смогу никого любить. Наверное, я — однолюб. Прощай, дорогая!

Внутренняя часть твоих глаз готова выработать слёзы, свидетельствующие о печальном состоянии твоих чувств. Потом наконец-то рот девушки тебе отвечает.

— ...Прости меня. Я была пьяна. Я тоже тебя люблю.

Но твой мозг, в силу присущего ему категорического императива, в данную секунду совершенно отказывается прощать. Ты что-то шепчешь, едва используя голосовые связки, потом одеваешься.

В дверях ты поворачиваешь голову, чтобы глаза девушки увидели твое лицо, и говоришь прощальные слова.

— Ты же моя единственная женщина! Больше у меня не было и не будет!

Потом ты быстро убегаешь вниз по ступенькам, чтобы девушка не успела чего-нибудь предпринять, чтобы задержать тебя. Тебе немного стыдно, мозг понимает, что твои слова были неправдой, поскольку ты помнишь, что однажды ты совершил половой акт вместе с сорокачетырехлетней сестрой твоего преподавателя в институте, но, в конце концов, это не столь важно.

Ты закуриваешь и идёшь по улице. После всего настроение твоё стало совсем плохим, а нервы наверняка возбудились и чувствуют себя очень неприятно, заставляя всё тело вибрировать, а мозги — думать о нехорошем. Тогда ты вспоминаешь, что в твоём доме в одном месте лежат таблетки «тазепам», которые действуют и на нервы, и на мозги успокоительно. Ты отчётливо решаешь выпить две такие таблетки и лечь спать, чтобы потом почувствовать себя хорошо.

Ты идёшь в метро, едешь на поезде, выходишь из метро — но всё это не стоит описаний и размышлений. Придя домой, ты открываешь дверь ключом в правой руке, сразу находишь «тазепам» и глотаешь его, запивая водой в стакане, которую ты налил из крана. Потом раздеваешься и ложишься в постель, поместив под одеяло своё тело, и только голова остаётся незакрытой.

Ты готов уснуть, ты соединяешь ресницы, отвернувшись к стене; твоё тело наполнено предчувствием воскреснуть в своих снах, твоё сознание исчезло — и я удаляюсь от тебя.

1987

ОДИН ДЕНЬ С ЖЕНЩИНОЙ

Дмитрий среднего возраста лежал около кресла, воображая себя жертвенным трупом мироздания. Одной рукой он коснулся усов между носом и ртом, потом обратил внимание на пыль в тонком солнечном луче, который неприятно ослеплял его взгляд в то время, как он смотрел на пыль. Дмитрий встал и пошел на работу, пытаясь мечтать и думать о разных предметах.

Во время похода на работу его тело шло быстрым шагом, выставив зад, а на лицо мозговыми приказами было нанесено успокоенное приличное выражение, которое, словно чадра или вуаль, прикрывало проблески мыслей и эмоций. Дмитрий лицезрел улицу сквозь мелкий снег и пытался сопоставить мокрую атмосферу в воздухе со Снежной королевой или с беспросветным путешествием Амундсена. Еще будучи утром в ванной, он кричал в замкнутое пространство, что зелёная вода между дном ванны и поверхностным натяжением — это жгучее море Уэделла, где среди креветок «криль» и скудной другой фауны находится сейчас голый демиург Дмитрий, могущий пролить кофе с сахаром на пенистый айсберг и сделать вихрь. Но всё это было тщетно — он не мог сотворить пингвина из горячей воды, и осталось только спустить поток в общую канализацию, чтобы сухой мир снова стал моделью для творчества и любви. Это было приятным развлечением: теперь же Дмитрий спустился на обыденную почву и шёл вперёд и вперёд, чтобы участвовать в общественном производстве благ, согласно разного рода теориям договора или угнетения, и его существо, возвышающееся над землёй, дышало свежестью мельчайших откровений и изобретений и любовалось мокрым снегом сквозь воздух на улице.

Дмитрий убедился в том, что он может идти очень быстро, обгоняя женские существа и мужчин различного возраста, но если ему так захочется, он может и остановиться среди человеческой массы, создать в глазах необходимую иллюзию, превращая корпускулярные людские тела в импульсные многоликие кванты, неразделяемые на индивидов; и тогда реальность станет мерцать перед ним полусветом разных цветов, среди которых можно избирать для наблюдения тот, который лучше.

Неожиданное представление того, что можно остановиться посреди мирной улицы, было для Дмитрия достаточным, чтобы продолжать свой путь. Он шёл, наступая сначала пяткой на асфальт и лишь затем — всей ступнёй; это была спортивная ходьба, она сохраняет массу энергии и позволяет далеко оторваться от преследователей, которые суетятся и делают разные ошибки при своём передвижении, в то время как правильный человек выносливо идёт вперёд, даже не поворачивая свой взор в сторону тех, кто за ним.

В это время Дмитрию представилось, что он приехал на Чёрное море, так как он увидел девочку, поедающую чебурек. И хотя на чебуреке были снежинки, они с тем же успехом могли быть пряным налётом природных солончаков знойных мест. И они таяли оттого, что их поедала девочка, и её дыхание было горячее, чем воздух. Дмитрий прошёл мимо. Его путь подходил к концу, и весь сиюсекундный мир прощался с ним, ласково махая ручкой.

Дмитрий пришёл на работу и приступил. В начале он работал шаляй-валяй, всё ещё находясь по власти девичьих чар, которые восхитили его своей южной самоуверенностью, но потом он втянулся в процесс труда и стал работать заинтересованно, словно от этого зависела его жизнь; он стал представлять себя согбённым, как Сизиф, которому, независимо от результатов, не дождаться всё равно прощения, даже если его срок не равен дурной вечности и его вполне хватает для того, чтобы умертвить преступное тело и мятущуюся душу. И так как нечего больше делать в надзирательной реальности, остаётся работа по расстановке и сочетанию материальных объектов, чтоб из них возникла некая правильная форма нового природного феномена: так из скалы может возникнуть пещера, если убрать всё ненужное!

Дмитрий наслаждался бешенством труда, который сочился и возникал благодаря точной деятельности его рук, оттачивающих их принадлежность к человеческому виду. Дмитрий представлял, что он делает танк, убивающий неприятеля, или же хоккейную клюшку, забивающую победный гол в чужие ворота. Дмитрий мечтал о том, что он производит книгу, уничтожающую справедливое устройство Вселенной и устанавливающую собственную обнажённую правду о разных вещах. Всё это преображало работу в приятное дело и повышало настроение человека, который ею занят. Таким человеком в настоящее время был Дмитрий, и мозги его блаженно напряженно функционировали, словно компьютер, кайфующий от новых весомых задач, которые в него вложили высшие существа. В этом состоянии можно было свернуть горы; всем остальным можно было пренебречь и вынести прочую иллюзию за скобки собственного тела, которое радовалось возможностям своего применения на разных участках художественной реальности.

Потом возник обеденный перерыв, который немного охладил Дмитрия, собиравшегося уже стать Стахановым в высшем смысле этого слова. Он огорчённо встал в очередь за пищей и скорбно слушал бурные беседы других работников, которые очень хотели питаться.

Дмитрий взял получистый поднос и решил съесть пельмени, так как это было древнее удмуртское блюдо, напоминающее о былых исторических временах. После них он решил выпить компот с ром-бабой. И тут наконец его обслужили, и он сел среди остального народа за столик, где не было салфеток.

Дмитрий взял вилкой один пельмень и представил, что это — паёк, который выдаётся ровно в 13 часов каждой живой глотке. Он вдруг задумался и начал мечтать о том, что он — персонаж некоей антиутопии, житель жуткого тоталитарного общества, где всё делается по приказам и сигналам и в котором он, вместе со своей гениальной девушкой, может ещё думать, размышлять и бороться с неизвестными правителями.

Тогда его должен был разбудить блаженный надоевший звонок общего подъёма и, после изнуряющей зарядки, он в строю обязан был направиться на фантастическое место труда: всё будет жестоко рассчитано — ничего своего и личного, и только мысли его будут беспокоиться о животном происхождении тела, которое жаждет чего-то еще. После работы и после приёма возбуждающих средств будет, очевидно, обычная массовая мастурбация для получения ценного мужского семени, нужного для искусственного размножения несчастных людей; и никто из них не будет знать, что в это время делают женщины, и только Дмитрий будет задавать себе этот вопрос. И потом возникнет случайное знакомство, и какая-нибудь Джейн, или Мария, или без имени будет очень красива и более уверенна в жизни, чем он, и они предадутся любви при первом же свободном от других дел случае, так как на развитие отношений не будет времени и возможности; и этот обычный секс, на котором стоит человечество, наконец-то достигнет своей истинной сущности и станет запретным, прекрасным и загадочным, и таинство снова станет тайной, и самое простое в мире отличие двух разнополых людей друг от друга будет снова целой вселенской прелестью и вызовом мерзкому внешнему миру! И всё же этот мир будет прекрасен, поскольку только в нём станет возможным это возвращение к человечности через использование в духовных целях физических принадлежностей самого себя; ибо настоящий разврат не есть скотообразный свальный грех, похожий скорее на отлаженную работу созданных для этого механизмов, но есть сексуальный акт с голой Беатриче, у которой по самой идее не может быть ничего, кроме великого лица и абсолютного духа, и которая всё же оказывается ещё и женщиной, готовой совершить то, что может сделать любая несвятая девица.

Так они и будут поступать, и эта самая Джейн будет смеяться над мутью государственных установок, которые, словно великий роман, заполнят их интересное бытие. Потом, конечно же, это должно закончиться трагически, и Дмитрий, как великомученик, примет какую-нибудь казнь, и имя его навсегда пропадёт в замечательной жестокости гнусного мира. Он может даже заплакать и проявить слабость, он может даже предать всё на свете, словно нестойкое обездоленное существо; и никакого выхода не будет из этой ситуации, ибо в этих играх не осталось места для божественного прибежища, куда во всяком случае можно обратиться в наше всеобщее время. Дмитрий ел пельмень, улыбался и смотрел на выступающую под платьем грудь работницы, сидящей напротив него.

Обед был закончен. После послеобеденной работы Дмитрий пришёл домой и снял с себя пальто. Он стал смотреть в зеркало, а потом пошёл на кухню и вытащил газету. Он сел на пол и прочитал статью о недостатках в работе транспорта. Статья была написана мастерски, Дмитрий читал с удовольствием. Он сел на стул, съел свежий огурец. Тут ему наконец-то позвонила женщина.

Женщина. Дмитрий, это ты? Куда же ты пропал? Как же так? А сейчас ты что делаешь?

Дмитрий. Сейчас я приглашаю тебя к себе в гости, чтобы мы сегодня встретились и скоротали отпущенное нам время для разных встреч. По-моему, ты должна сейчас выйти из своего дома, чтобы сесть в транспорт, который работает с недостатками, после этого выйти из него и прийти в мои гости. В них тебя буду ждать я, приглашая пройти в комнату и присесть. И тогда-то мы с тобой поговорим и побеседуем.

Он повесил трубку и лёг ждать женщину. Он закурил сигарету и включил музыку. Потом он выключил музыку и докурил сигарету. Через отведённое время раздался звонок в дверь.

Дмитрий открыл, там была женщина. Он очень обрадовался, начал шутить и снимать с неё пальто.

— Как я давно у тебя не была,— говорила женщина, проходя в комнату,— совсем забыла твою комнату.

— Ничего, сейчас вспомнишь,— отвечал ей Дмитрий.

— Как живёшь-то, что нового, кого видишь? — спрашивала женщина, усаживаясь в кресле.

— Живу нормально, нового почти ничего, вижу многих. Сейчас вот увидел тебя! — шутил Дмитрий.

— У меня тоже всё в порядке, видела кое-кого, а так новостей мало.

— Я работаю, вот сейчас пришёл с работы,— заявил Дмитрий.

— Я тоже работаю, тоже сейчас с работы,— сказала женщина.

Дмитрий подошёл и трахнул её. Потом, позже, они лежали голые в постели и смотрели в потолок. Дмитрий отвлекался курением. Женщина смотрела на его грудь.

— А что, Дмитрий,— сказала она,— ждал меня?

— Ну конечно,— ответил ей Дмитрий, стряхнув пепел в пустоту комнаты.

— А тебе хорошо со мной? — спросила его тогда женщина.

— Не знаю,— огорчённо сказал Дмитрий. Он докурил, и женщина ждала ласки.

Дмитрий вяло потрогал её пышную грудь, а пальцем другой руки залез почему-то ей в пупок. Потом обеими руками стал хлопать её по животу, словно отбивая какой-то джазовый ритм. Женщина не шевелилась, только жалобно дышала. Потом Дмитрий вдруг встал на четвереньки прямо в постели, а потом спустился на пол. Он сел по-турецки и сложил руки на груди. После этого он встал, и как был — голый — направился к магнитофону, чтобы поставить музыку.

— Ты хочешь музыку? — спросила его женщина.

— Ага! — сказал он и поставил музыку.

Музыка была очень громкой и буйной, и Дмитрий стал танцевать. Он прыгал, топал ногами, крутил руками и бедрами, делал приседания, словно у него осталось ещё множество энергии, не истраченной на женщину, которая лежала и смотрела на него. Потом Дмитрий запел. Он пел на непонятном языке, прихлопывая себя по ляжкам голыми руками и издавая какие-то мерзкие, почти птичьи звуки, похожие на клёкот безумного человеческого существа. Было видно, что ему очень нравится музыка, которая играла на магнитофоне, и он словно хотел поучаствовать в её исполнении, издавая свои разнообразные звуки. Женщина захохотала, а он совсем не стеснялся её. Потом Дмитрий выключил музыку, встал в суровую позу, будто был облечен властью над судьбами, и отчетливо произнес:

Дмитрий. Королева, выйди вон!

Женщина. Иди сюда!

Дмитрий. Королева, выйди вон, ты согрешила с подлым человеком, ты голая грешница, лежащая в простынях! Королева, выйди вон!

Женщина. Я — твоя женщина, ты мне очень нравишься, мне нравится твоё приятное лицо, мне нравятся твои глаза карего цвета, мне очень нравится, как ты занимаешься любовью! Иди ко мне и бери меня, пожалуйста.

Дмитрий. Королева, ты надругалась над собственной честью, ты совершила очередной шаг во тьму: твой алмазный венец растащили на нефтедобычу, Рудольф — твой враг! Королева, выйди вон!

Женщина. Митюша, я не королева, я просто к тебе пришла. Что с тобой? Я хочу тебя утешить, поедем с тобой через восемь месяцев в Домбай кататься на горных лыжах?

Дмитрий. Королева, ты разве не королева? Вон, падшая дрянь и семиабортная Ева; быть может, твой искренний уход смягчит общий вред твоих монотеистических намерений! Ибо я — тот, кого никто не любит, ваше величество, и кому не надо твоих рук — так как его вполне устраивает нижняя часть твоего царственного организма. Вон, королева!

Женщина. Я не могу.

Дмитрий. Можешь, гнусная тварь!

Дмитрий рванулся вперед, взял лифчик этой женщины и порвал его надвое, ликуя от своей победной силы.

— Что делаешь, кретин! — в сердцах воскликнула женщина.

— Вон! — сказал Дмитрий. Он расшвырял её белье и верхнюю одежду по всем углам комнаты и стоял теперь посреди, голый, как Тесей.

Женщина подошла к нему, голая, как в женской бане, и обдала его неприятным биополем ненависти.

— Если не уйдёшь немедленно,— сказал Дмитрий,— я откушу тебе левый сосок.

Женщина покрутила пальцем у себя в виске и медленно стала одеваться. Дмитрий шлепнул её ладонью по заду и приказал, чтобы она торопилась. Но ничто уже не способно было удивить эту женщину; она попала в сеть своих сложившихся заключений о том индивиде, кто недавно её разогрел своей природной секрецией, и действительно хотела уже уйти отсюда хоть и без лифчика, но с гордо поднятой головой. Наконец она оделась.

Голый Дмитрий открыл ей входную дверь, приглашая её уйти.

— Болван! — только и сказала женщина, прощаясь с этим человеком.

Дмитрий. Королева, я несчастен!

Дмитрий закрыл входную дверь на ключ, радуясь своим удовлетворенным мужским желаниям, и пошёл в туалет. После этого он глянул на часы и увидел, что уже может ложиться спать, чтобы заснуть в приятном настроении. Он умылся и лёг в кровать, погасив свет.

Он лежал и чувствовал себя героем-любовником, который не пошёл ни на какие компромиссы в общении со слабым полом; он ударил подушку кулаком, представляя, что это — женский живот, в котором покоится новый младенец для старого мира; он думал, что он — великий человек, совершивший отвратительный поступок, и он предвкушал свой ад и плевки в себя со стороны красивых глупых людей. Он был слишком счастлив, чтобы огорчаться новому поползновению своих мужских потенций, требующих удовлетворения. Плоть всё же была ублажена, и в своей широкой постели Дмитрий лежал, как подкидыш на холодной церковной ступени, которого ещё ожидают в будущем и уникальное безрадостное детство, и окончательная смерть.

1988

СКВОЗЬ ЗЕМЛЮ

Андрей Сигнатюр причесался и вошёл. Оператор очень обрадовался, сказал «о», вскочил и протянул большую белую мускулистую руку.

— Это вы? Здравствуйте,— радостно сказал Андрей.— Я наконец пришёл.

— Это я! — гордо воскликнул оператор, оправив белый халат, словно платье.— Проходите, вот начало пути.

В центре стены была плотно закрытая железная дверь лилового цвета. Оператор указал на неё пальцем и мечтательно произнес:

— Отсюда начинается приключение.

— Вы мне покажете канал сквозь Землю?— заинтригованно спросил Андрей.

Оператор достал длинный ключ, воткнул его в дырку замка двери, повернул восемь раз и вытащил.

— Проходите, вы всё увидите,— сказал он Андрею и сел в кресло.

Андрей недоверчиво открыл дверь и увидел некую камеру с двумя креслами и небольшим смотровым окном, закрытым снаружи бронёй или другим материалом. Перед креслами находился характерный щит с приборами и кнопками. Андрей вошёл, сел перед этим щитом и стал волноваться. Оператор тоже вошёл, закрыл за собой дверь и крикнул.

— Поехали?

— Вы можете меня прокатить? — недоверчиво спросил Андрей, не веря счастью.

— Ведь вы же заплатили массу денег, чтобы прийти...— тихо ответил оператор и громко добавил: — Меня зовут Пётр.

Потом он замолчал и нажал зелёную кнопку. Всё пришло в движение, и начались перегрузки.

— Мы начали путешествие сквозь Землю,— лекторским тоном сказал оператор.— Мы будем пневматически двигаться по каналу, развив огромнейшую скорость. Впрочем, радиус Земли меньше длины её окружности, поэтому, двигаясь даже со скоростью самолёта, мы бы прибыли в Америку быстрее. Это — одно из положительных достижений канала. Отсюда у канала большое будущее. Но оно ещё больше, потому что мы двигаемся очень и очень быстро. Ведь нам нужно проскочить раскалённый и вязкий центр Земли, проскочить и не зажечься. Поэтому мы должны успеть. Сейчас вы увидите — начнётся невесомость, от скорости и от близости к центру. Ведь нас притягивает именно центр, не так ли? И когда мы наконец приходим в него, он получает то, что ждал, и от неожиданности отпускает нас на первое время... Вы слышите шум, напоминающий симфоническую музыку, если слушать её за тридцать метров от филармонии, закрыв уши подушкой?

— Кажется...— сказал Андрей.

— Это — мантия! — продолжил оператор.— Это музыка мантии. Она звучит именно так. Она заполняет собой Землю, она горячая и вязкая. Мы сейчас в ней. Но мы не горим, поскольку всё продумано. Огнеупорные стенки канала защищают нас от внешнего мира. Вам нравится?

— Чудно,— сказал Андрей, откидываясь на спинку кресла.— Можно закурить?

— Ни в коем случае! — строго ответил оператор.— Ведь существуют же газы недр. Если вы зажжёте спичку, мы можем взорваться!

— Я понял,— испуганно пробормотал Андрей, смотря на закрытое смотровое окно.

Оператор замолчал минут на пять, потом началась невесомость, и Андрей привязался к креслу специальным ремнём. Через семь минут оператор крикнул:

— Уа!!!

— Что вы сказали? — испуганно спросил Андрей.

— Ничего,— брезгливо ответил оператор.— Это наш боевой клич. Просто мы достигли центра Земли, и каждый оператор кричит в этот момент «уа»... Это как бы традиция,— добавил он, смягчаясь.

— Может, мне тоже крикнуть «уа»? — сказал Андрей.

— Ни в коем случае! Говорить «уа» — это почётное право операторов и звеньевых. А вы, заплатившие массу денег, должны сидеть, молчать и вслушиваться в истинный смысл окружающего.

— Когда мы прибудем? — спросил Андрей.

— Скоро. Вы увидите — перед нами будет Америка. Для этого есть смотровое окно.

— А сейчас? — спросил Андрей.

— Нет! — отрезал оператор, нажимая на синюю кнопку.

Начались перегрузки, и стало слышно работу каких-то механизмов. Стены камеры задрожали, потом всё кончилось.

— Вот! — победно сказал оператор.— Поздравляю вас, мы прибыли. Итак, я открываю окно.

Он действительно что-то сделал, и в окне появился пейзаж. Было чёрное небо, звёзды, горы, грунт.

— Но ведь это Луна,— недоумённо сказал Андрей.— Это ведь не Америка, а Луна!

Оператор посмотрел на пейзаж и медленно проговорил:

— Да... Похоже... Я сам не понимаю... Похоже на Луну.

— Как же это может быть? — ошарашенно спросил Андрей.

— Не знаю,— сказал оператор,— непонятно... Странно...

Они сидели и смотрели.

— А вернуться теперь можно? — вдруг спросил Андрей.

— Куда? В Россию? Я думаю, можно. Сейчас.

Оператор немедленно что-то сделал, окно закрылось, пейзаж исчез; потом он нажал на зелёную кнопку, и начались перегрузки.

— Что вы делаете! — воскликнул Андрей.— Мы же ничего не выяснили...

— Вы меня попросили,— мрачно заявил оператор.

— Я не попросил, а спросил!

— Это одно и то же. Я — честный оператор и выполняю свою миссию правильно.

Андрей обиделся и замолчал, отвернувшись к стене. Оператор гордо сидел в своём кресле, скрестив руки на груди. Началась невесомость, потом оператор крикнул:

— Уа!!!

Но Андрей никак на это не отреагировал. Наконец, пришло время, и всё кончилось.

— Ну, вот и всё,— удовлетворенно сказал оператор.— Я думаю, мы вернулись в Россию.

— Но ведь мы совершили путь сквозь Землю? — спросил Андрей.— Туда-сюда?

— Несомненно,— ответил оператор.

— Тогда почему же всё так...

— Не знаю.

— А может быть, вы мне всё наврали?! — воскликнул Андрей.

— Вряд ли,— сказал оператор, глядя вверх. — Спасибо за жизнь, мальчик мой. До свиданья.

1989

НИКТО НЕ ЛЮБИТ НАС, НАРКОМАНОВ

НИЧТО

Я почесал макушку своей головы и продолжил жевательно-глотательные движения, нужные моему организму для доставки в его сущность калорий и витаминов. Глаза мои устали читать прессу, которая была интересна и глубока. Я встал, словно взлетел, потом защёлкал пальцами, как Фидель Кастро на трибуне. Затем я перестал щёлкать. Пошёл какой-то мелкий снег снаружи жилища. Я закончил приём пищи, повернулся направо и надел свою одежду для прогулок по мегаполисам. Между пальцев моих ног при этом я обнаружил небольшой зуд, который немедленно прошел, как только я поместил это место на угол кухонной стены. Приятное ощущение захватило меня, посылая мурлыкающие сигналы в мозги. Мозги обрадовались, потом приказали мне повернуться налево, непонятно зачем. Я повернулся и узрел свою квартиру, где я всё ещё стоял. Я ударил по стенке ребром ладони и с прыткостью лани удалился на улицу, где меня приветствовал снег и отвратительный мерзостный мороз.

Я запел про себя песню «Бандьера Росса». Потом шёл, шёл и сел в троллейбус. Там было очень много представителей человечества. Я съёжился между ними, и какая-то очень толстая задница стала обволакивать мой мужской перед. Это было плохо.

На сиденье некая бабушка, словно львица, разинула рот и махала своим билетом, пытаясь скоротать время поездки. Я, как орёл, взмахнул руками и сжал жёрдочку, нужную для поддержания равновесия. Троллейбус встал на светофоре, но все делали вид, что ничего не происходит. Миловидная женщина была повернута ко мне боком. Я стал от нечего делать представлять её мёртвой и непривлекательной. Но тут сзади забибикала машина и все повернули свои лица, чтобы узнать, что случилось.

Потом троллейбус поехал дальше. Я начал напевать про себя «Маленькую ночную серенаду». В это время ко мне обратился с вопросом молодой человек, похожий на Льва Толстого.

Молодой человек. Вы не бросаете пять копеек?

Я изумился его вопросу, и он поставил меня в тупик. Дело в том, что я совершенно не хотел бросать пять копеек, поскольку их не имел в своем правом кармане штанов, а вместо них имел двадцать копеек, которые я жалел заплатить в кассу троллейбуса, так как это значительно превышало установленную законом плату. Я задумался над проблемой, что же мне делать. Молодой человек мог быть контролёром, его руки были скрыты от меня — он копался в своей голубой сумке; кроме того, мне было очень лень отвечать.

Я. Нет.

Это было всё, что я сказал, точнее, выжал из своих голосовых связок, которые в точности отразили моё смятение.

Он отвернулся, я вышел из троллейбусной двери навстречу приключениям. В то же время, как я выходил, вошла маленькая девочка.

И я сел в автобус. Наклонившись над человеком, от которого воняло потом, я вместе с ним читал художественный текст про каких-то людей. Потом я сел у окна.

И тут мы помчались вперёд, словно автобус тянули собачьи упряжки на Северный полюс; будто бы я очутился в «мерседесе», который под музыку путешествует по ночному шоссе, заставляя огни жилищ искрами мелькать по стеклам и зажигая на миг капли дождя перед водителем; как будто я сел в ядерную ракету, и мне плевать на законы природы, и сейчас мир будет взорван и я стану тенью самого себя!

Я положил ногу на ногу, и автобус встал на светофоре. Меня кто-то погладил по голове. Я очень испугался, растерялся и поднял глаза наверх. Меня случайно погладила гениальная женщина. Она, наверное, передавала деньги на абонементную книжечку.

Гениальная женщина. Извините меня.

Я подумал: «Безобразие! Издевательство!» Но я ничего не сказал, опустил глаза и продолжил поездку. Потом я поместил свой взгляд где-то посередине верха и низа, и он упёрся в приятного молодого человека. В это время этот человек встал и выбежал из автобуса.

Мы, вместе с автобусом, стояли на остановке. Я начал вспоминать известные мне большие арифметические числа. Потом я опять поставил свою ногу рядом с другой ногой, чтобы поменять позу своего сидения у окна. И тут вонючий старик пробежал рядом со мной, так как хотел купить книжечку с билетами на автобус. Автобус выстрелил очень громко — я знал, что так иногда бывает со всеми машинами. Люди перепугались, задёргались, зашептали. Ребёнок подошёл и потрогал меня пальцем. Мама покупала билет. Ребёнок говорил глупые гадости. Потом он ушёл.

Я облокотился о стекло. В это время автобус наполнился диким множеством самых разнообразных людей. Они все стояли и делали вид, что ничего не происходит. Они делали вид, что они никакие. Они были все одинаковые, хотя небольшая разница между ними была. Но самый оригинальный из них был негр, потому что у него была кожа другого цвета. Мне очень хотелось быть негром, когда я смотрел внимательно на негра. Но тут негр посмотрел на меня, и я отвёл взгляд, хотя мог бы и посмотреть ему прямо в глаза. Но мне надоело, и я захотел стать орангутангом.

Я встал со своего места и подпрыгнул два раза. Негр сказал мне:

— Вы сойдёте?

Я. Нет, я выхожу через одну остановку!

Негр понимающе кивнул. Он начал протискиваться к выходу, пролезая между мной и одной девушкой, с которой я когда-то был в детском саду; я пытался убрать своё тело от негритянского и дать ему возможность сойти там, где ему было нужно для его дел. Получилось это удачно, и мы все заняли опять стабильные позиции: я — неподалёку от выхода, подруга по детскому саду — за мной, а подросток — рядом с нами. Наконец-то автобус остановился, и мы все качнулись по инерции, сохраняя в своих физических телах остатки былой скорости. Двери открылись, негр от нас ушёл.

Тогда я начал перемещаться в задний отсек. Там тоже были какие-то люди в юбках. Я встал и опять-таки некая задница плотно прижалась ко мне. Я сексуально возбудился и был готов содействовать увеличению количества людей. Но поскольку благоприятного случая не представлялось мне сейчас, я огорчился и начал вспоминать сюжетные линии произведения «Капитанская дочка». Оказалось, что я ничего не помнил, хотя в детстве очень не любил этой повести и постоянно ругал её на уроках, за что мне ставили пятерки. И тут мы начали поворачивать на другую улицу.

Зацепившись рукой за металлическую трубку прямо у потолка автобуса, я наблюдал здания, которые мы проезжали. Одно из них было зелёным, другое было очень красивым. Наконец-то автобус остановился.

Я вышел и был очень рад. Потом я осмотрелся и обнаружил прохожих, идущих примерно с одинаковой скоростью. Но некоторые из этих людей шли быстрее, чем остальные. Я пошёл вместе с ними, потом повернулся кругом и зашёл в телефон-автомат. И я набрал номер.

Я по телефону. Алё, здравствуйте, а можно Лену?

Голос, отвечающий мне по телефону. Нет, её нет дома.

Я извинился и повесил трубку. Потом своей правой рукой я залез в правый карман своих штанов. Я взял оттуда две копейки и поместил их в специальное отверстие наверху телефона-автомата. Потом эта монетка провалилась внутрь устройства для связи. Я сказал:

Я по телефону. Алё, здравствуйте, а можно Лену?

На самом деле, я звонил иной Лене.

Лена по телефону. Привет.

Я. Я сейчас звоню из автомата, и очень холодно. Прямо за стеклом будки телефона-автомата идёт очень неприятный мелкий снег, и дует ветер. Я спрятался от него здесь и сейчас занимаюсь тем, что звоню тебе. Как ты живёшь? У меня ничего. Давай с тобой поговорим на разные интересные темы вечером. Потом я буду слушать музыку и читать книги. Ну, до свидания.

После того как я побеседовал с Леной по телефону-автомату, я пошёл вперёд прямо между всех остальных людей, которые шли по улице. Мой взгляд упирался в пальто женщины. И мне надоело рассматривать это пальто. Я остановился. Женщина уходила прочь, она удалялась, скоро она превратится в маленькую точку для моего зрения, а позже я совсем не смогу отличить её от окружающей среды. Я отвернулся.

Я встал около пешеходного перехода. Мимо нас проехал автобус, и он не остановился, потому что для него горел зелёный свет. Мой взгляд запечатлел людей, которые в нём ехали, держась руками за металлические трубки у потолка автобуса. Внутри их было не очень много.

И тут машины затормозили. Некоторые из них остановились сразу, как вкопанные, а некоторые ещё проехали немного вперёд — даже за линию, за которую уже нельзя ехать. Но потом и они остановились, а две машины ещё и отъехали назад, чтобы не мешать людям, которые шли. Я ждал.

Меня кто-то случайно толкнул, но я не обратил на это никакого внимания. Кто-то стоял за моей спиной. Но тут зажёгся разрешающий свет, и я пошёл через дорогу.

1987

ХИМИЯ И ЖИЗНЬ

Невесело и занудно проводить зимние вечера в стране объективной реальности, сидя в омертвелой кухне поздним временем трудового дня, когда граждане спят, словно заткнувшиеся фонари в задушевных посёлках Сибири. Свет горит гнусно-жёлто, огонь страстей кипит в молодом яростном теле, которое словно просится на вертел или под танк,— но всё мёртво в этом мире для порочных бездельников, которые принуждены геморроидально располагаться на табуретках, раскачиваясь взад-вперед в ожидании перспектив.

Двое из них, выкуривая четвёртую сигарету за последнее время, прихлёбывали рыжий чай и смотрели друг другу в глаза, забавляясь увиденным. За окном чернота зияла красным сигналом. Но нет, это был не флэт, то была всего лишь кухня с бабушками в задних отсеках квартиры, развлечений не предвиделось в эту ночь, и можно было только в снах и грёзах черпать реальность дырявым ковшом — жизнь погибала в лишних людях, воскресая на стройках, заводах, во взводах и в райкомах.

— Я хочу веществ внутрь,— сказал один из молодых людей, качнувшись на табуретке. Он был насмешлив и оптимистичен, прокуренные глаза лукаво глядели в чай.— Поищи чего-нибудь такого.

Второй друг молча встал, мучительно осмотрел свое белое тело внутри рубашки, с удовольствием отметив взрослое оволосение груди, и осоловело направился к шкафу.

— Я хочу на вечеринку,— сказал он.

— А,— ответил ему друг, безнадёжно уставившись на телефон,— никаких вечеринок нет. Давай лучше проведём викторину: «влияние химических веществ на организм человека».

— Это интересная викторина,— ответил другой.— Но я бы с большим удовольствием провёл бы сейчас исследование на тему: «влияние опиатов на организм человека» или же «влияние галлюциногенов на организм человека».

— Это банально. Гораздо лучше изучать вещества, ещё не исследованные в достаточной мере. Наука нам спасибо скажет.

— Я не знаю, что она нам скажет, но это опасно.

— Опасности щекочут нервы. Вперёд!

Они оба подошли к шкафу и открыли его, вытащив ящичек с семейными лекарствами. Отдельные старые таблетки пожелтело валялись на дне, переживая свою золотую осень.

— Итак, посмотрим,— сказал один из них, предвкушая разнообразные эффекты.— Что здесь есть... Посмотрим по порядку... «Верошпирон»... Что это такое?

— Я не знаю,— сказал ему друг.— Это то ли мочепускательное, то ли от давления.

— Не подходит... «панангин»?

— Не знаю.

— «Папаверин»?

— Это опиат, но не имеющий наркотического эффекта. По-моему, он расширяет сосуды.

— Отлично! — сказал первый друг.— Для начала примем его. Начнём с пяти.

Он вынул десять таблеток, и друзья немедленно их съели, перемалывая зубами жёсткий субстрат лекарства. На вкус оно было не очень мерзким.

— Запьём,— сказал один из них, и они начали быстро пить чай, ликвидируя остатки «папаверина» из своих зубов.

— Ну вот и всё.

Пять минут они молчали, глядя прямо перед собой. Тело почти не реагировало, химия, по всей видимости, оказалась слабее. Наконец один из друзей сожалеюще развел руками и сокрушённо промолвил:

— Не пойдёт! Ещё по пять!

«Папаверин» был немедленно доеден, и пустая пачка обиженно смотрела на людей, стремящихся жить.

— Ага! — зарычал один друг, подпрыгнув вдруг к потолку, оскалив свой рот наподобие пасти.

— Ага! — попытался повторить его жест другой, но поскользнулся, упал на паркет и вдруг начал быстро чесаться по всей протяжённости своего тела резвыми движениями пальцев.

— Да-да,— согласился первый друг, онанируя ногтями шею и грудь.— Особенно вот здесь.

— А тепло внутри...

— Ой! — вдруг вскричал друг.— Затылок...

— Верно.

Все еще почёсываясь, они подошли к ящику с лекарствами и снова склонились над ним, словно надеясь на лучшее в этом худшем из миров, потом стали извлекать новые блестящие этикетки с названиями лекарств — но мозги уже не могли рассуждать трезво; в тела друзей прочно и основательно вселялся болезненный задор, и они со смехом обсуждали дальнейшие варианты.

— Я предлагаю,— торжественно сказал один,— что теперь я употреблю одно неизвестное лекарство, а ты — другое...

— Хорошо.

— Вот эти две упаковки... Это у нас... А, какая разница. И это. Сперва по три.

— Очень хорошо,— пробормотал другой, нервно почёсывая срамные места.

Они съели таблетки, допив остатки чая, и, успокоенные, свалились задницами на табуреты, пытаясь настроиться на лирический лад.

— Вот мы откроем новый наркотик...— говорил один друг, упёршись руками в колени.— Поедем на Запад, запатентуем... Станем миллионерами... Поедем на Гавайи... Ой!

— Что такое? — быстро спросил друг. Один из друзей мучительно свалился под стол, напряжённо схватившись за живот. Он бешено смеялся, постанывая.

— В чём дело?

— По-моему, вот это... Именно это и есть мочепускательное...

— Да? — испуганно проговорил другой.

Первый друг пулей вылетел из кухни в туалет, потом обратно, потом обратно и так далее, пока приступ не кончился. В то время как он всё это делал, второго тошнило с балкона 12-го этажа прямо на сверкающий ночной город. Скорее всего, он съел рвотное.

— Чего же делать? — кричал первый по дороге к облегчающему источнику.

— Не знаю...

Через полчаса всё было кончено. Они сидели друг перед другом, смеялись покрасневшими лицами, попивая чай.

— Все это неправильно,— наконец сказал один.— Необходимо съесть чего-нибудь психотропного. Я знаю: это квадратные упаковки с оранжевой чертой.

Они доползли до ящика, корчась в животных болях. Один из них вынул две пачки с таблетками.

— Вот... «Тазепам»... Замечательно успокаивает нервы... То, что нам нужно... «Пипольфен»... Усиливает эффект... Это проверенные, замечательные колёса. По пять каждого...

— Давай.

Дрожащие пальцы неторопливо отсчитывали таблетки — белые и синие. Зубы болели от твёрдых предметов, как у детей после шоколадок. И всё-таки организм принял новую дозу, которая последовала в желудок, готовясь атаковать кровь и мозг.

— Вот так,— многозначительно сказал один из друзей, когда они расслабленно уселись на табуреты, готовые к новым ударам тяжёлой судьбы.

— Неужели и сейчас нам не повезёт? — сказал второй, добрым взглядом рассматривая трещину в потолке.— Как мне хорошо...

— Ага...— умиротворённо порадовался первый друг, облокотив голову о стенку.

— Аааа,— забился первый друг в блаженных сетях кайфа.— Мы летим вверх и вперёд...

— Вверх и вперёд...— повторял за ним его друг.

— И вдруг — бамц!

Он упал на пол. Что такое, что такое, что происходит, где Марья Ивановна, где Кочубей... Его друг удалялся от него вдаль тысячами смыслов и видений, вечность в виде большой белой крысы уселась у него на носу. По паркету забегали мраморные слоники, в голове методично пульсировала кровь. Его друг начал чернеть.

— Что ты делаешь? — с пола спросил его первый друг. Другой же чернел и покрывался щупальцами. Потом он поднял рукав своей руки — она вся почернела и стала сухой, словно щепка. Он схватился за неё другой рукой — и она отвалилась на пол, легко переломившись с треском.

— Конец руке,— сказал он.— Теперь я точно не пойду в армию.

— А как же рука?

— Вырастет новая.

Полчаса прошло вне времени, когда они наконец открыли глаза и посмотрели друг на друга — всё было нормально, зрачки, точно желтки, растеклись по всей поверхности глазных яблок, они выпирали из-под век, подрагивая на ресницах: бледность сияла на лицах, но душе было смешно.

— Так где же твоя рука? А? — спросил друг своего друга.— Так это был глюк?

Они рассмеялись, в такт вибрируя дрожащими пальцами.

— Да,— серьёзно ответил другой друг.— Это был глюк.

— А вообще вот эти последние средства...

— Ничего. Я пойду спать.

— До свиданья.

Первый друг проводил второго до двери, чтоб он отправился на свой этаж ночевать и продолжать жить в грёзах, пока нам осталось хотя бы это. Он закрыл дверь и чмокнул ключом, поворачивая его в замке. Петухи ещё не пели, но было уже рано, духовно пустой дом тревожно готовился к новому трудовому дню.

Друг отошёл от двери, путаясь мыслями и чувствами. Дрожь пробила его насквозь — он не смог бы спать, чтобы отдохнуть от экспериментов над собственной жизнью.

— Я приму снотворное! — решил он, выискивая «родедорм» среди россыпей химической помощи человеку в минуты плохого настроения.

— Всё это несерьёзно! — громко усмехнулся он, заглатывая пачку внутрь себя.— Завтра я высплюсь хотя бы нормально... Химия всё-таки не страшна человеку как носителю духовной силы...

Он пошёл вперёд к своей кровати, тупо осознав, что на мгновение стал совершенно нормальным, готовым к новым путешествиям во славу разума.

Но, не дойдя и двух шагов до туалета, он умер, упав на безмозглый паркет, и воскрес только в день Страшного Суда.

1984

НИКТО НЕ ЛЮБИТ НАС, НАРКОМАНОВ

Я вышел в тамбур, чтобы покурить. Поезд нёсся вперёд и вперёд, точно собирался увезти меня и мою измученную нашей судьбой девушку в какой-нибудь спокойный и вполне реальный рай. Она лежала сейчас в купе на верхней полке, безостановочно считая километровые столбы, словно от этого зависело её ближайшее будущее, видимое ею светлым и радостным, совсем как прямой жизненный путь удачливого праведника.

Я с жадностью втягивал сигаретный дым, чувствуя некую телесную неостановимую дрожь и разбитость; за окном мелькал пейзаж, серый, как суть моей души.

— Скоро уже подъедем,— неожиданно сказал уголовного облика человек, куривший вместе со мной.— Осталось недолго.

— Да,— откровенно согласился я, хотя совершенно не понял, куда это мы подъедем и до чего, собственно, осталось недолго. Куда мы вообще едем и зачем? Вдаль от себя, от собственной дрожи, от печальных утр и вызывающих робкую надежду вечеров? Очевидно, это — глупо, но разве этот мир совершенно лишён прибежищ и тайн, неужели всё настолько логично и мрачно, как в кинотеатре, в котором никак не начнётся цветное кино, и все присутствующие понимают, почему это так, лишь я один, несмотря ни на что, жду разноцветной яркости экрана и сладких грёз?..

Я отшвырнул от себя докуренный до фильтра бычок, вновь вздрогнул и поднял руки вверх, не предполагая, чем бы ещё заняться, кроме простого бесконечного ожидания. Кажется, мы едем в Калмыкию, где должен состояться съезд буддистов ветви «Ваджраяна»; и мы, наверное, ждём покоя и безразличия последователей Шахья-Муни, хотя всё наше существо алчет чего-то совершенно другого — того, что невозможно и запрещено, что прекрасно и чудовищно, как недосягаемый и утраченный рай. Моё настроение вдруг становится ровным, словно замечательно построенная автострада, и я возвращаюсь в купе.

Моя спутница так и лежала на своей полке, не меняя позы; поезд дёргался, словно эпилептик в припадке, который никак не закончится; пожилые мужчина и женщина рядом с нами вовсю ели мясистые красные помидоры с варёными яйцами, разложив их на промасленном куске газеты, и меня от вида их жующих красных лиц и дряблых полных тел чуть не стошнило.

Наступила ночь; станции и полустанки сменяли друг друга, сливаясь в единый фон железнодорожного путешествия; я решил лечь спать и приготовиться к раннему пробуждению в Элисте и уже предчувствовал утреннюю разбитость и постоянные ознобы после жёсткой купейной ночи, когда ворочаешься на узком ложе так рьяно, будто некая деталь в токарном станке, и очень хочется, чтобы с тебя наконец сняли стружку, а садист-рабочий сидит рядом, куря вонючий бычок, и совершенно не собирается принести тебе ни малейшего облегчения. Я лёг и как-то еле-еле заснул, хотя сон мой был противно чуток, словно сон любящей матери у постели больного ребёнка, готовой мгновенно вскочить с постели и заняться выполнением родительского долга.

На заре мне ударил в глаз солнечный луч, я дико вздрогнул и поднял веки. Поезд стоял; мы прибыли; подниматься совершенно не хотелось; жуткая слабость опутала всего меня, как гусеничный кокон, внутри которого нет никакой бабочки.

— Вставай, пошли,— сказала моя бледная девушка; видно было, что она чувствует себя ещё хуже, чем я.

— Куда, зачем, что?..— недовольно пробурчал я, чувствуя безудержную злость оттого, что я вновь проснулся на этой планете в своём теле и меня опять к чему-то призывало и приказывало заниматься всевозможной активностью опостылевшее Бытие.

— Приобщаться к буддизму!..— насмешливо воскликнула моя девушка и легонько ущипнула меня за левую ягодицу.

Я вскочил, чтобы вдоволь наподдать ей, но в последний момент передумал, увидев её кислое лицо, которое она пыталась скрыть за приветливой улыбкой — точь-в-точь, как истинная жена, пробуждающая дымящимся завтраком лентяя-мужа, напоминая ему о том, что он должен спешить на какую-то там работу, чтобы кормить её, детей, да ещё помогать тещё, которая на самом-то деле сама помогает всей этой убогой семейке.

Моя девушка накрасила губы и совсем не была похожа на буддистку. Я чихнул шесть раз подряд, вздрогнул, испытал мощнейший озноб и, наконец, оделся.

Через полтора часа мы уже стояли на поляне у пруда, посреди буддистского палаточного лагеря, чувствуя себя абсолютно «не пришей» никуда сюда, но делать было нечего, раз всё же мы приехали и сейчас мы здесь.

— Зачем мы здесь оказались! — недовольно сказала моя девушка.— Жарко, лето, а моря нет... Я так хочу на море!

— Я тоже,— согласился я, вновь чихнув раз семь подряд и испытав четыре озноба.

— Так, может, мы уедем?.. Зачем нам этот... буддизм?.. Море-то лучше!

Я видел, что ей безумно плохо, но она старалась держаться молодцом.

— Буддизм спасёт нас,— почему-то уверенно ответил я.— Здесь нам проведут «пхову», то есть «искусство умирания»! Мы вернёмся обновлёнными; наши души засияют, словно свежевычищенные солдатские бляхи; мы начнём новую жизнь!..

— От себя не убежишь,— веско сказала моя возлюбленная, чихнув восемь раз подряд.— Так, как было, всё равно уже не будет. Рай закрыт!

— Мы бежим не от себя, а наоборот — к себе,— объяснил я.— Нам не нужно больше рая; было слишком хорошо. Нужно расплачиваться.

Мощный озноб пронзил меня, как подтверждение правильности вышесказанного.

— Да ты, что — буддист? — иронично спросила она.— Мне так плохо...

— Я не знаю,— честно сказал я.— Но нам нужно очиститься. Мне тоже очень плохо...

— Эй! — крикнули нам из какой-то палатки. Я обернулся: там сидела большая компания, и почти все были нашими знакомыми.

Мы медленно подошли к ним и осмотрели их весёлые лица, правильный молодой задор, бьющийся в юных телах, и жажду приобщения к тайнам мироздания, которые лично мне давно уже надоели.

— Вы тоже здесь!.. Отлично! Только Оле Нидал приедет через два дня — тогда и начнётся «пхова»...

— А... что же делать? — криво ухмыляясь, спросил я.

— Да тут весело!..— как-то недоумённо хихикнув, ответила мне некая девушка из города Барнаул, которую, кажется, звали Таня.— Придёт вечер, местные притащат водочку, сядем у костра, у нас есть личный повар Миша,— молодцеватый парень рядом с ней бодро кивнул головой с рыжими волосами, чётко расчёсанными на пробор,— может, травки поднесут...

Я как-то совсем приуныл, представив эту пионерскую картину сегодняшнего вечера.

— А пока что,— сказал неизвестный мне человек, весь увешанный чётками и прочими буддистскими атрибутами,— идёт семинар, который ведёт один тибетский лама... Там толкование текста... Палатку можете получить здесь.

Мы взяли палатку, я её поставил, всё время ощущая себя Железным Дровосеком, которого не смазали и которому каждое движение даётся с диким трудом; мы сели в неё и стали просто так сидеть, напряжённо куря.

Вдруг вокруг раздалось: «Смотрите!.. Ой!.. Что они делают!..»

Мы с неимоверным трудом встали и посмотрели туда, куда смотрел весь этот лагерь. Прямо над нами выделывали фигуры высшего пилотажа два самолёта. Они то стремглав возносились ввысь, то падали вниз; в конце концов, один из них отлетел чуть-чуть прочь и, видимо, что-то не рассчитав, с грохотом врезался в скалу, через мгновение рухнув и взорвавшись.

— Вот тебе и буддизм...— пробормотал я. Все были в абсолютном шоке. Моя девушка более чем красноречиво посмотрела на меня, и мы вновь сели в свою палатку, закурив поновой.

Так мы просидели почти до сумерек. Ознобы учащались, превратившись в один большой, сплошной озноб. Вокруг нас ошалевший от полуденного события лагерь собирался на семинар.

— Пошли? — спросил я.

— Какая разница.

Мы добрели до помещения какого-то местного Дома культуры, вошли в зал и заняли своё место среди всех остальных, сидящих по-турецки и внимавших небольшого роста тибетскому человеку, который заунывно нечто говорил, а переводчик рядом с ним переводил. От него исходила энергия бешеной, завораживающей, уничтожительной пустоты. Нас совсем затрясло.

— Я больше не могу,— сказал я.— Здесь есть какое-нибудь кафе? Я хочу чего-нибудь выпить. Может быть, мне станет легче?

Моя бедная возлюбленная, кажется, готова была упасть в обморок, но послушно встала вместе со мной и вышла из этого Зала Буддизма.

Мы вышли в фойе, и я тут же обнаружил лестницу, ведущую вниз — к двери с коротким словом «бар».

— Замечательно,— сказал я, чуть не падая от слабости. Моя возлюбленная как-то мягко и иронично улыбнулась, и мы пошли туда.

В баре играла лёгкая, невнятная музыка; всевозможные напитки были выставлены за стойкой, где стоял скучающий, трезвый бармен. Я немедленно выпил сто граммов водки, на какую-то секунду ощутив, что мне действительно легче, но всё же это было совершенно не то. «Удивительное дело,— подумал я,— существует огромное количество людей, которые всерьёз воспринимают это вещество —

этиловый спирт — и считают его злоупотребление истинной проблемой своей жизни, которую дико трудно решить». Я выпил ещё сто граммов, чувствуя, как алкогольное тепло поднимается откуда-то из моего солнечного сплетения по чакрам вверх к горлу и дальше, к макушке. Вновь продрал озноб; я накатил ещё сто граммов.

Мы сели за столик, и я понял, что мне совершенно очевидно стало лучше — даже как-то весело.

— Послушай,— пьяным голосом проговорил я,— а мне тут нравится... Элиста, калмыки какие-то... вполне приятные и гостеприимные. Вот как надо жить! Кажется, меня начинает увлекать буддизм.

— Не зарекайся,— сказала моя девушка.

— Ну... Я просто хочу сказать, что это было правильно, что мы сюда приехали.

— Да подожди ты ещё... Ты вот пьёшь, а у меня нет такого выхода!

— У меня есть «рогипнол»,— улыбаясь, ответил я ей, доставая из кармана пачку таблеток.

— Давай.

Она съела две штуки; к нам подсел молодцеватый калмык.

— Вы впервые в Элисте? — радушно спросил он.— Откуда вы? Вы — буддисты?

— А вы — буддист?

— Я — генетический буддист.

— А мы из Москвы.

— Чудесно! Чудесно! — почему-то развеселился калмык.— Выпьем шампанского?

— Выпьем! — чуть ли не крикнул я.— Вы знаете, мне, кажется, очень нравится Элиста! И калмыки...

— Народ у нас прекрасный,— подтвердил калмык, отошёл и вернулся с бутылкой шампанского.— Давайте выпьем, знаете за что? Как зовут вашу... прекрасную спутницу?

— Каролина,— зачем-то ответил я.

— Мы выпьем за буддизм! Во всех других религиях были войны... ну, во имя религии... кроме буддизма! За буддизм ни разу не проливалась кровь!

— Это правда,— сказал я, смотря на Каролину. Она как-то хмыкнула: мол, всё ясно мне с вашим буддизмом, что это, дескать, за религия, за которую никто не умер и никто никого не убил, но взяла предложенный ей бокал с шампанским и даже немного отпила.

Через десять минут я почувствовал себя совсем пьяным и собирался выпивать дальше.

— Послушай,— шепнула мне Каролина,— мне дико плохо, пойдём отсюда, я прошу тебя...

Бар, между тем, наполнялся всевозможными людьми, которые, в отличие от нас, честно прослушали семинар и теперь собирались слегка расслабиться.

— А что мы будем делать? — разочарованно спросил я.— Опять сидеть в палатке?.. Скучно! Чего тогда приехали!

— Тебе же сказали, что тут бывает по вечерам,— дрожа и бледнея, сказала Каролина.— Я пойду в палатку, попробую заснуть, выпью ещё «рогипнола», а ты, наверное, сможешь и там выпить... своего алкоголя,— почти презрительно закончила она.

— А если нет? — резонно ответил я.

— Тогда вернёшься. Пошли, пошли, я, кажется, теряю сознание...

— Ну пошли, пошли,— злобно проговорил я, вставая.

На дорожке, ведущей к лагерю, Каролина вдруг упала. Я склонился над ней, её глаза закатились куда-то вверх, и она еле дышала.

— Что с тобой? — испугался я, озираясь. У меня опять начались ознобы; выступили противные слёзы, и я четыре раза чихнул. К нам подошли три калмыка.

— Что с ней?..— спросил один из них, подозрительно смотря на меня.

— Мы очень плохо себя чувствуем...— пробормотал я, стараясь не глядеть им в лица.— Я думаю, она сейчас должна прийти в себя...

Калмыки подняли Каролину и повели её вперёд, поддерживая за руки; она шла, несмотря на своё почти отключённое состояние, я шёл за ними, шатаясь. Так мы добрались до палатки, куда её положили; тут она вдруг подняла голову и громко спросила:

— А у нас больше ничего нет, кроме «рогипнола»?

— Откуда!..— озабоченно сказал я.

— Кажется, я смогу достать то, что вам нужно... ребята,— как-то агрессивно произнёс один из калмыков. Мне вдруг всё это надоело, захотелось ещё выпить, я бросил их, выйдя из палатки, и направился к большому костру, у которого, кажется, сидели наши друзья, а повар Миша большой палкой помешивал готовящееся здесь некое варево в котелке.

Я смело сел с ними и сразу же спросил:

— А у вас выпить есть?

Мне протянули стакан водки. Кто-то играл на гитаре достаточно фальшиво и пел странную песню с такими словами: «Если б я мог выбирать себя, я хотел бы быть Гребенщиков». Я попросил гитару, и мне её дали. Я зверски ударил по струнам, скорчил какую-то мерзкую рожу, и меня вдруг пронзило безумное отчаяние, вместе с какой-то странной ностальгией, подогреваемой сомнительной водочной радостью. Я начал петь по-английски всяческие рок-песни, выкрикивая слова в ночную калмыцкую тишину. Все меня слушали очень внимательно; я собрал целую компанию, пока некий человек не сказал мне, что меня ждёт Каролина. Я извинился и пошёл в палатку.

Она напряжённо лежала, слегка встрепенувшись, увидев меня.

— Эти калмыки,— задыхаясь, сказала она, — чуть меня не изнасиловали... Они мне предлагали всё что угодно, если я им дам...

— А что у них было?..— тут же спросил я, задрожав от возможности невозможного.

— У них... было...

— Где они?! — быстро спросил я. Я вдруг дико возмутился, выбежал из палатки и нагнал тёмную фигуру, напомнившую мне одного из них.

— Послушай, тут стояли такие три... Они чуть мою жену не изнасиловали!

— Пойдём их поищем,— тут же ответил он, и я убедился, что он — один из них, но пошёл следом за ним.

Мы удалились от костра и тут он повернулся и ни с того ни с сего врезал мне по морде с такой силой, что я упал, изумлённый и не понимающий.

— А что мне ещё было делать! — начал он мне почему-то объяснять свой поступок.— Ты подходишь ко мне, обвиняешь меня...

— Я тебя не обвинял! — воскликнул я, держась рукой за скулу и вставая.

— Вы вообще непонятно, что здесь делаете... В таком состоянии...

— В каком состоянии!..— обескураженно крикнул я.

— Ты знаешь, в каком,— с раздражением и злобой ответил он, смотря на свой кулак, потом быстро отошёл, чтобы не поддаться страстному желанию врезать мне ещё и вообще чуть ли не убить меня. Он был крепкий и сильный, я был пьяный, мне было очень плохо;ознобы словно вытрясали из меня душу, ноги дрожали в каком-то едином безумном спазме. Я вернулся к костру.

— Ещё споёшь? — мрачно спросил меня повар Миша.

— Я хочу ещё выпить...— грустно ответил я.— Меня побил калмык.

— Что?!!

К нам подошёл человек, увешанный чётками.

— Всё это из-за твоего ума,— сказал он мне, пусто улыбаясь.

— Какого ещё ума! — возмущённо рявкнул я.— Царствие Божие не от мира сего!..

— Это всё твой ум,— повторил он, не убирая своей гадкой буддистской улыбочки с лица.— Мир не есть сей или тот, просто это всё — твой ум. А он сейчас помрачён.

Я ушёл от них и почему-то заплакал, смешивая простые, бесконечно идущие и так слёзы с подлинными обиженными рыданиями. В конце концов я добрёл до палатки, лёг рядом с болезненно ворочающейся Каролиной и отключился.

Наутро, когда я приоткрыл глаза навстречу солнечному восходу, я чуть не проклял всё сущее, потому что я вновь оказался в этом мире, на этой планете, в этой Калмыкии, в этом теле. Я буквально умирал от похмелья. Я как-то еле-еле встал, дошёл до лагерного умывальника и посмотрелся в осколок зеркала, прибитый гвоздём к дереву. На меня взглянула моя бледная, избитая, небритая рожа.

— Тем не менее, надо опохмелиться,— сказал я сам себе, опять словно раздираемый на части ознобами, которые, возможно, были от вчерашней водки.

Мне навстречу шёл один из моих старых знакомых, который, оказывается, тоже был здесь и готовился пройти «пхову», чтобы научиться умиранию.

— Пошли выпьем,— сказал я ему, нащупывая кошелёк в заднем кармане штанов.

Он изумлённо посмотрел на меня, потом на солнце, недоумевая, но молча пошёл со мной, видимо, сочтя, что со мной не о чем говорить.

Я шёл вперёд, ступая словно по кинжалам или по горящему костру.

— Ты... осторожнее здесь,— сказал он мне наконец.

Я махнул рукой с печальным отчаяньем. Мы добрались до ларька с водкой, я тут же купил бутылку.

К нам подсели два калмыка.

— Кто тебя так? — спросил один из них, вопросительно указывая на бутылку. Я встал с железного ограждения, на котором сидел, и протянул её ему.

— А,— неопределённо ответил я.

— Если узнаешь, нам скажи,— сказал калмык, отхлёбывая водку.— Ты же гость! Буддист! Нам приятно. Что вообще с тобой?

— А,— повторил я.

Через какое-то время они быстро ушли. Я опять встал и тут обнаружил, что у меня больше нет кошелька.

— У меня украли все деньги,— ошарашенно заявил я своему другу.

Он грустно кивнул.

— Я видел, как они его у тебя вытаскивали. А что я мог сделать? Тебе бы опять врезали. Говорил я тебе: осторожнее здесь! Приехал... такой!

— Какой? — удивлённо спросил я.— Ты видел и не мог сказать? Хоть закричать?..

— Да чего тут кричать! — раздражённо сказал он.— Тебя сейчас... голыми руками можно брать. А они тут все...

Я сделал огромный глоток водки. Ознобы всё равно не проходили; слабость уже вконец меня замучила.

— Что они тут все!.. Что я вам... Что вы все от меня...

— Ты хоть бы Каролине какой-нибудь жратвы купил, а не водку постоянно.

— Ей сейчас не до еды! — отрезал я.

Он насупленно замолчал, потом скривился и произнёс:

— Допивай, я больше не хочу... Я не за этим сюда приехал... Завтра уже Оле Нидал будет... Пхова...

— Пхова-пхова...— пробормотал я.— А мне хуёво...

— Ладно,— сказал он. Было видно, что я ему страшно надоел.

Шатаясь от опохмеления, я вернулся в лагерь. Меня встретила растрёпанная Каролина.

— Там... Нашу палатку... Ветер полностью разорвал...

— А у меня украли все деньги,— сообщил я.

— Поздравляю...— совершенно не удивилась она.— Все? А как же море? Сколько можно пить?!

— Мне это... помогает,— ответил я, чувствуя, что опять отключаюсь, как ночью.— Ты же пьёшь свой «рогипнол»!

— Да ну его!

Я лёг на траву и неожиданно заснул.

Когда я проснулся, в лагере было тихо. Почти все ушли на семинар; я еле встал, опять ощутив похмелье и общую всегдашнюю разбитость. Я прошёл вперёд и обнаружил Каролину, сидящую у костра. Она плакала.

— Что с тобой?

Она молчала.

— Что происходит?..

— Буддизм надоел! — вдруг вскричала она.— Я — православный человек, надо в храм идти, а не здесь...

— Буддизм... должен умиротворить наши души...— заплетаясь, проговорил я.— Мне надо опохмелиться.

— У тебя просто запой!

— У меня остались ещё деньги в сумке.

— Правда?..— вдруг с надеждой спросила она.

Я обнял её за плечо.

— Послушай... И всё-таки, царствие Божие не от мира сего! И не мир Он принёс, а меч! Поехали отсюда! Всё, хватит, не хочу никакой пховы, хочу на море, хочу видеть Георгиевский монастырь под Севастополем со скалой «крест»!

— Поехали? — удивилась она.— Когда? На чём?

— Сейчас же! На чём угодно! Иначе мы никогда не уедем! А эти… умники… Ну их!

— Мы… не доедем… Не дойдём… Очень плохо…

— Нам надо доехать! — вдохновенно сказал я.— Надо дойти! Нам нужно!

— Сейчас?..

— Только сейчас. Клянусь, мы будем стоять у скалы «крест» и смотреть на великое море, в котором растворено всё! Пошли! Пошли!!

Свои последние две бутылки портвейна я выпил в поезде, свалившись ночью с верхней полки и чуть не переломав себе кости. Станции сливались в один бесконечно длящийся кошмар; мы ехали и ехали — прочь от Калмыкии, от буддистов и от Оле Нидала. Сознание почти уже ничего не воспринимало, кроме мелькающих картинок жизни перед открытыми либо зажмуренными глазами; дорога уходила прочь от нас, теряясь во мгле лагерной игры на гитаре и играх ума.

Но однажды я очнулся, проснулся, пришёл в себя. Я держал за руку Каролину и смотрел на море перед собой, вместе с суровой скалой «крест», возвышающейся перед Георгиевским монастырём. Мы молчали, счастливые, ошеломлённые, родившиеся вновь. Я смотрел вдаль и думал об ужасах этого мира, где все заодно, где всё происходит так, как и должно происходить, где постоянно хочется смерти и независимости от всего материального и даже душевного, где мне просто хотелось бы быть устричной отмелью в океане, лишённой существования, но имеющей лишь только одно назначение — «быть»; я думал о жестокости и колючести всей окружающей меня действительности, о справедливости каждого мгновения и прелести проживаемых секунд — и о том, что никто не любит нас, наркоманов.

1997

СЛЕДЫ МАКА

«Мы жизни отдаем
последнее дыханье
за неба окоём
и маков полыханье».

Индржих Вихра
(пер. Олега Малевича)

Я рассчитал все свои дозняки на этот денёк и ощущал себя, словно опустошённое нездоровой свободой существо, стремящееся воспарить в ласково-мягкий, небесно-разряженный мирок смутной, как сонные слова, услады. Раствор был во мне, раствор был вне меня, рядом: мои руки светились сумрачными дорогами вен, которые, будто двери без ключей, влекли меня к себе, за себя, в покои кайфа, запретного и вожделенно-доступного, как плод или блядь — стоило лишь протянуть руку. Под столом валялись маковые бошки вперемешку со стеблями и корнями — всем тем, что называется «капустой»: шприцы лежали на столе, готовые впрыскивать чудесные жидкости в кровь, и миски с чёрными следами великого сладкого раствора были разбросаны повсюду вместе с бутылками из-под растворителя, словно доспехи лучезарного рыцаря, который после судорожного поединка расшвырял их где попало и теперь пьёт портвейн.

— Я вмажусь,— сказал я, лёжа в кровати, раскрывая глаза.

— Кумарит,— прогудела моя жена.

О, этот салатно-ветвистый, запросто растущий в огородах мак! О, его причуды, его белый сок, называемый опиумом, его великие головки, называемые бошками! Я хочу быть с тобой сейчас же. О, этот дербан, эта тайная кража, этот ужасный, леденящий сбор, это напряжённое выдергивание с грядок растений неги, этот преступный унос маковых снопов среди пугающих спящих дачных домишек, о, это коцанье!..

Я вышмыгнулся и вытянул вверх свою холодную сероватую руку. Я изнатужился и встал. Тело как-то внутренне скрипело, будто заезженный грузовик; я, шатаясь, подошел к холодильнику и достал заветный пузырёчек. Затем через ватку, именуемую «петухом», я выбрал себе три куба. Перетягиваю, еле протыкаю кожу, тупая игла, где же вена, где же вена, контроль, нет, воздух в «машине», вот она, нет, раз — кровь юркнула в шприц, словно носик любопытной мышки в щёлку. Оттягиваю, отпускаю, вмазываюсь, вынимаю. О...

Мир тут же возникает предо мной, как бесконечные облачные клубы сладкой энергии. Я бодр, я хочу есть, я хочу всего, я счастлив, мне не нужен никто! Тело теперь напоминает порхающего ангела или достигший высшего своего качества организм йога. Я люблю реальность, мне нравится солнце, мне нравится дождь, мне всё равно, я люблю сидеть, я люблю стоять.

— Эй! — в нос вскричала жена.— Ты сколько сделал? Выбери мне! Кумарит! Быстрей!

Я никуда не тороплюсь. Я медленно встаю со стула и, улыбаясь, иду к своему прекрасному холодильнику. Я выбираю ей два с половиной куба и иду к постели делать желанный укол. И потом мы радостно завтракаем.

— Человек насквозь химичен,— весело говорю я, наслаждаясь колбасой.— Если некое вещество способно перевернуть твои эмоции и душу, значит, это — правда, и глупо это игнорировать. Остаётся, конечно, нечто незатрагиваемое, но оно и так остаётся. Воистину, человек — машина, на девяносто девять процентов. Внутренний мир — дерьмо.

— Мне нравится больше внешний,— заявляет жена.— Поедем на дачу.

Погода была светлой и благодатной, словно раскумарившийся опиюшник. Мы уложили в багажник множество маков и сели в машину. Не спеша я завёл мотор, глядя в зеркало заднего вида на своё бледное восторженное лицо со зрачками размером маковых зернышек. Я выруливаю, мы едем! Я переключаю скорости одним пальцем, закуриваю сигарету и лишь по какой-то ментальной инерции останавливаюсь на светофорах, не принимая в принципе участия в этой жизни, о которой надо всё время думать и выполнять свой долг или же множество долгов.

Шоссе стелется предо мною, будто нарастающий кайф. Я останавливаюсь у магазина «Автозапчасти» и вхожу в него. Блин! Здесь только ацетон. Но ведь на нём тоже можно приготовить любимую жидкость?

— Я купил две бутылки ацетона,— говорю я, садясь вновь за руль.— Там совсем не надо лить воду в соду, как мне объясняли. Попробуем.

Слегка приглушённое солнце августа освещает мои исколотые руки, успокоенно застывшие на руле: я еду сто десять километров в час и напоминаю сейчас остриё шприца, обращённое к душе. Мой дух витает: моё тело вибрирует от машины и от внутренних наслаждений. И мы едем и едем.

На выезде люди с автоматами нас останавливают, это ОМОН, спаси меня опиум!.. Я протягиваю документы и дрожу. Конец, конец, конец!

— Выйдите из машины,— говорит красивый омоновец в пятнистой форме.— Чего вы так переживаете?

— Нет, нет, ничего,— я выхожу и становлюсь перед ним. Он ощупывает меня.

— Оружие есть?

— Нет, что вы!

Он насмешливо смотрит мне в глаза.

— На вас следы мака. Откройте багажник.

О!

Я открываю багажник.

— Ну что ж, господин наркоман, придётся притормозиться. Двести двадцать четвёртая?

И тут, словно персонаж из одного фильма Бергмана, я кричу некий тайный звук, он переполняет меня, он сметает омоновца, он вырубает реальность, он есть грохот отчаянной атаки, он есть шелест мака, он чудовищен и огромен, как страшное древнее знание, он есть единственное прибежище, вскрик Высшего, уничтожающий всё среднее, случайное и настоящее. Это магия, каббала, к которой я иногда прибегаю, если это необходимо.

— Что вы орёте,— говорит омоновец. Я сижу за рулем, он держит мои документы.— Оружия нет?

— Нет.

— Счастливого пути.

Я медленно беру документы, осторожно их проверяю и кладу в карман. Я не спеша завожу мотор и трогаюсь с места. Мы уезжаем.

— Да...— выдыхает жена.— После таких штук надо немедленно вмазаться.

— Сейчас приедем, приготовим.

Мы почти неслышно едем дальше, испуганные, ошарашенные, уязвлённые. Сие происшествие возникло неожиданно, словно резкий удар ножом в загорающее на пляже тело. Беспощадный кумар, похожий на обволакивающий все клетки противнохолодный ручей, в который тебя безжалостно опускают, вновь забился неотвратимым, мешающим уснуть сверчком внутри ошеломлённого, не верящего в него организма. Но у нас же всё есть, у меня есть уксусный ангидрид — великая едкая влага, любимая жена опийного раствора, белая, очищающая всё жидкость, кристально-кислотные капли, необходимые «посаженному на корку», коричневому маковому экстракту, как наркотик. У меня есть ацетон, не приемлющий воды; у меня есть чудеснейшие маковые стебли в огромном количестве и прекраснейшие, эстетически совершенные маковые бошки. Кумар развивался втупе, как безжалостная раковая метастаза, но я подсмеивался над его упорством и злобой; я зрел миг освобождения, словно затерянный в пустыне путник, счастливый видеть мираж вожделенного колодца и зелёного прохладного оазиса. Мы ехали, притаившиеся в автомобиле, будто страдающие от клаустрофобии дети, летящие в самолете. Я крутил руль; наступал холод.

— Надо будет сейчас приехать, тут же приготовить сухие бошки, вмазаться, а потом всё остальное.

Дача была родной, как любимая, вечно острая игла-капиллярка. Рядом с плитой стояли чистые миски; я подошёл к кухонному столу и победоносно выставил на него бутылку ацетона. Мясорубка была под столом.

Началась приятная, нервная работа. Цвет от ацетона был странно-синим; я совсем не лил воды в соду, но тщательно нагрел кастрюлю. Цвет раствора был очень бледным. Я проангидрировал. Мы развели, я выбрал.

— Вмажь меня...

Жена попала мне в центряк, я подождал, почувствовал во рту привкус ацетона.

— Это не то,— убийственно-разочарованно произнёс я.— Это не он! Не он!! Не он!!!

— Как?!

— Видимо, мы не умеем готовить на ацетоне. Наверное, нельзя совсем без воды. Сода не пропитает солому, и опиум не возьмётся. Ещё есть бошки?

— Зелёные.

— Суши!!

Мрачный ужас пронзает меня; отравленный раствор пульсирует в теле, уже охваченном кумаром, словно безумием; неверие в опиум поражает меня, как самое худшее, что только может случиться с человеком. Я лью воду в соду.

Я готовлю снова; цвет на сей раз зелёный, правильный, ацетон кипит, кипит... и не выкипает!

— Что это? Блин, там одна смола! Мне кто-то говорил, что если так делать, будет одна смола! Опять у нас ничего не вышло! А! А!

Жена, словно тень смерти, стоит в углу. Опиума нет?

— Давай, теперь я попробую,— предлагает она. Я ухожу, испаряюсь, выключаюсь на какой-то кровати, трясусь в судорогах, будто любимая только что оставила меня, тускло зеваю и вновь трясусь, трясусь, трясусь. Меня не интересует ничего, я не могу сидеть, не могу стоять, не могу лежать. Я не хочу есть, я не хочу жить. Проклятый ацетон! Опиум, сжалься!

Молитва опиуму

О, чудный опиум — прибежище счастливых!..
Твой шоколадный дух зажжёт рутину дней
Прекрасной сладостью садов, где в цвете сливы,
В покое яблони, под сенью маковых стеблей
Пребуду я.

Ода опиуму

О, чёрно-млечный сок
Корон цветов-извивов...
Истомы ты исток!
Услады диво!

Когда ты входишь в кровь,
Всю душу озаряя,
Во всём во мне любовь
И сладость расцветают.

Ты — грёзовый угар
Блаженнейшего зуда,
Ты сам — Господень дар,
Ты — просто чудо!

Мой шприц наперевес,
Словно копьё, возьму я
И нежный сок небес
В него вберу я.

Затем — проткнута плоть,
И кровь в цилиндре.
Осталось лишь вколоть
Раствор-целитель.

И тут же свет в глазах,
Как счастье, воссияет,
И смысла блеск в мирах
Вновь запылает.

Люблю твой цвет и вкус,
Взаимные обиды,
И вечный твой искус!
И запах ангидрида.

Я лежал, тщась разглядеть призрак счастья, мучаясь своим телом и душой, ужасаясь своему духу. Мир, как бледный юноша, умирал рядом со мной, дергаясь и сотрясаясь на полу и за окном. Я ненавидел ацетон; нужен был всё же растворитель, что же это такое, что же это...

Битва растворителя с ацетоном

Растворитель был лучезарным рыцарем в белом плаще, рыжеусым, добрым и загадочным. Ацетон был гнусным посланцем страны Мазок, говорят, что родился он абхазцем Абстеном Кумаровичем Ломиа, но впоследствии отринул веру и Родину и пустился в чёрный путь, ведущий в судорожно-холодный вечный ад. Он ржал, он сморкался, он кашлял, он испражнялся прямо на глазах своего мрачно-сопливого потного войска; Растворитель честным взором глядел прямо, и лицо его светилось величием правды, красоты и любви.

Ацетон. Эй ты, мерзкая беляшка!.. Тьфу-тьфу... Шмыг! Сейчас я отрежу твою кудряшку и потяну за влажный язык! Чих-чих! Пык!

Растворитель. Кончай браниться, урод суровый. Я готов биться с тобой за торжество божьего слова! Возьми копьё наперевес, сожми его, чихая, а мне помогут с небес силы нашего рая!

Ацетон. Ваша страна Раствор станет колонией нашего Мазка! Ваши кислые реки станут горькими, ваше сено превратится в солому, а ты будешь заточён в вечную смолу!

Растворитель. Наш Бог — наш млечный Сок не даст свершиться мерзости сией. К битве, синеватый ублюдок!

Ацетон. Да сгинут сладость и чудо!

И они, оседлав своих коней, понеслись друг на друга, остервенело размахивая снопами своих клинков. Ацетон ударил первым и отсек Растворителю уху: Растворитель по-доброму улыбнулся и вытащил хрустально-белый лук с острой-острой тонкой стрелой. Ацетон поморщился и...

Ко мне пришла моя жена с кружкой, её губы были смиренно сжаты, левая нога дрожала.

— Я сделала, вот, попробуй...

Я тут же вмазался.

— Это не он! Не он!! Не он!!!

Она упала на кровать в конвульсиях. Я встал.

— Надо ехать в магазин. Надо купить растворитель. Суши последние бошки. Молись. Да не оставит нас! Человек насквозь химичен. Больше нет ничего. Да победит Растворитель!

Я сел в машину и поехал. Я долго ждал до открытия. Я шёл, словно босой по стёклам. Я купил 646-й. Я сел и долго-долго ехал обратно.

— Всё дело в нашем неверии,— говорил я, отжимая тряпку с растворителем, в которой была маковая соломка.— Плоть и дух взаимопроникаемы, а мы не верим. Неужели он здесь есть?

— Я чувствую его! — вскричала моя бледная жена.— Этот запах... Он так сладок, о, как же он сладок!..

— Цвет — коричнево-золотой, янтарный, медовый... Или это опять смолы?

В ужасе и преддверии я ангидрирую. Развожу. Выбираю через «петух».

— Вмажь меня.

Холодными руками жена протыкает мне руку, берёт контроль, кровь вопросительным знаком изгибается внутри шприца, жена нажимает на поршень, и я чувствую... Взрыв!

— Это — он!!!!!

Мир воскрес; только ради этого мига стоит жить. Я сел на стул, вновь прекрасный и благодатный. Всё химично, всё великолепно. Раствор был во мне, раствор был рядом со мной, рядом, больше ничего не имеет смысла; так должен я прожить всю свою жизнь. И когда она закончится, сверкая отблесками одухотворённого опийного раствора, я сладостно перейду в иной, более лучший, более спокойный, чарующий мир и воскресну вечным цветком небесного белого мака в раю.

— На тебе следы мака...— испуганно проговорила моя жена.— Как говорил этот с автоматом... Неужели это — он?!

— Да,— отчеканил я счастливо.— Да. Это — ОН. Всё расцветает, всё есть, всё существует. Вмажься! Ради этого мига стоит жить.

1993

ОДИН ДЕНЬ В РАЮ

Ихтеолус просыпался, отдаваясь ласково и утверждающе встающему над светлым миром солнцу, радуясь его зову и наслаждаясь его призывом. Его губы улыбались; душа всё еще трепетала, испытывая сладостную грусть и ощущение чего-то недостижимого и прекрасного, что только что было заполнением сна и чего Ихтеолус так и не обрел и вряд ли когда-нибудь обретет... Он открыл глаза, тут же скосив взор на дисплей, который демонстрировал автоматическую отключку подачи разнообразных снотворных и психоделиков и плавный переход организма на пышущее здоровьем, румяное бодрствование. Огоньки слабо горели, жизнь собиралась начаться.

Ихтеолус левой рукой нажал на кнопочку проверки всех систем и замер в ошеломлённо-счастливом предвкушении: он обожал этот миг, он боялся его, он ждал его, желая и не желая,— это напоминало прыжок в пропасть, вылет из духа, бытие и ничто одновременно.

Тут же по его телу покатились волны самых любых ощущений; амплитуда была наиполнейшей, но всё протекало столь кратко, что невозможно было ни за чем уследить; в один миг возник пик явленного Разнообразия и переходов всего во всё, и он являлся подаренным единственный раз в день знанием всех возможностей, всех ощущений, всего спектра, которое включало в себя и взгляд вовне; мозг Ихтеолуса то воспарял в красочные эмпиреи, то падал в пропасти сонно-паутинных царств, желудок вибрировал, требуя пищи, чтобы затем наполненно урчать, член то поднимался ввысь, заполняясь предчувствием непереносимого по своей сладости оргазма, то блаженно повисал удовлетворённо, как будто не существуя между мускулистых ног, желающих то прыгать-бегать, то мягко отдыхать. Так происходила и воспринималась проверочная инъекция микродоз Всего, и всё, кажется, было в норме.

Ихтеолус сладко зевнул, радуясь краткому отключению любых подач в свой организм, а затем привычно нажал на утреннюю кнопочку, тут же ощутив прилив серотонина в мозгу, гамма-аминомасляной кислоты и короткого стимулятора (очевидно, кокаина), делающего подъём столь приятным и замечательным действом.

Ихтеолус вскочил, подпрыгнул пару раз, изобразил какое-то боксёрское движение и пружинисто двинулся в ванную.

Ихтеолус был статным блондином стандартного роста и телосложения, имеющим оригинальное, запоминающееся лицо, внизу которого, словно будучи вырубленным из скалы, вырезался вперёд поражающий своей резкостью очертаний подбородок, испещрённый утренней щетинной мшистостью, словно некими аккуратно выращенными где-нибудь на краю света микролишайниками. Он добавил себе стимулирующее серотонин вещество, расплылся в улыбке счастья жизни и начал радостно бриться, насмешливо наблюдая в зеркало своё смеющееся самому себе розовое личико. Побрившись, Ихтеолус вышел из ванны, добавил себе стероидов, смешанных буквально с каплей фенамина, и отдал всё своё существо зарядке с использованием висящего на двери тренажёра. Затем — душ с небольшой инъекцией опиоидов, делающих блаженно стекающие по слегка утомлённым мускулам струи ласковой воды ещё более приятными, и наконец, Ихтеолус сидел за столом в халате, на краткий миг подбавив себе героина, настроившего его на задумчиво-отдыхающий лад, а затем отключил все системы, настроившись на режим жизнедеятельности голодного, жадного зверя-хищника, требующего мяса, плоти, крови...

Завтрак был подан, и Ихтеолус набросился на него с остервенением животного, впервые за свою взрослую жизнь учуявшего течку самки. Он добавил себе вкусовых ощущений и теперь буквально рдел от счастья, перемалывая зубами бифштекс: это мясо было смыслом и средоточием всех мяс в его жизни, это был некий мясной апофеоз, вершина плотоядного совершенства, абсолютная радость желудка, рта и пищевода, вампирическая прелесть какого-нибудь затерянного в пустыне бедного тигра, наконец-то загнавшего невесть откуда взявшуюся здесь косулю.

Бифштекс закончился, программа автоматически отключилась. Передохнув пару секунд на барбитуратах, Ихтеолус инъецировал себе тетрагидроканнабинол (такая зелёненькая кнопочка в форме конопляного листа) и стал возвышенно и умудрённо поедать сладкое, воспаряя в мягких грёзах и наслаждаясь утончённым пирожным вкусом. И кофе тоже было тут; и кофеин также был как нельзя кстати.

Покончив с завтраком и позволив себе краткую передышку, занятую курением подлинного кальяна с истинным опиумом, Ихтеолус немедленно удалил из организма все токсины, затем вновь внедрил в него мягкий стимулятор с ноотропилом, повышая уровень серотонина и, конечно же, гамма-аминомасляной кислоты, и настроился на трезво-внимательный рабочий лад.

Через некоторое время изящно одетый и подтянутый Ихтеолус вышел из дома и направился к автомобилю.

Чёрный руль ждал его; светлое солнце согревало его макушку; ветерок щекотал изысканностью природных запахов его ноздри.

Он сел за руль, завел машину и поехал, не забыв втюхать себе изрядную дозу метедрина, чтобы получилась по-настоящему приятная езда.

Тут же его мозг вздрогнул, как будто бы заворачиваясь в некую шизофреническую загогулину, и Ихтеолус остервенело помчался вперёд, словно стараясь перегнать самого себя и по-сумасшедшему громко гикая в экстазе нарастающей скорости:

— Ииииии!.. Ииииии-еех! Ииииии-ех!.. Опа! Опа!..

Перед ним образовалась стайка точно так же мчащихся автомобилей; Ихтеолус матюкнулся и решил взлететь.

Он нажал на специальный тумблер и взмыл в голубые небеса прямо к горящему солнцу. Введя себе кокаин, Ихтеолус закружился в виражах и в конце концов произвёл мертвую петлю. О да, это был истинный полет!..

Вконец утомившись, он вошёл в штопор, уже почти ничего не видя и не слыша, и на очередной кокаиновой дозе приземлился прямо у подъезда здания родной работы. Сердце его колотилось, словно электроритм в диско-баре, руки вспотели: он явно переборщил, и наступал неотвратимый отходняк. Ихтеолус вновь матюкнулся, немедленно вывел из организма всё до этого введённое, позволил себе краткий барбитурово-героиновый отдых, опрокинув голову на спинку кресла, а через какое-то время уже бодро выходил из машины, вновь настроив серотонин и прочие отвечающие за это вещества на правильное, рабочее настроение. К нему приближался его коллега по имени Дондок.

— Что, передознулся, а?.. Я видел, как ты летел.

Ихтеолус белозубо и слегка пристыжённо, но с абсолютным достоинством усмехнулся и ответил:

— Да вот... Люблю я это дело... Вот.

— Кто ж его не любит!..— засмеялся Дондок и укоризненно помахал перед Ихтеолусом пальчиком.— Может, потолкуем сегодня после работы? А? Я вчера почти всю ночь читал Хун-Цзы, у меня возникло новое...

— В обед! — мягко отрезал Ихтеолус, вспомнив, что после работы он договорился о встрече со своей любимой девушкой, которую звали Акула-Магда.

Потом они ехали в лифте, потом они шли пешком, потом входили в кабинет, потом здоровались с начальником. Начальник, которого все здесь называли Борисыч, пожал каждому руку и мягко взглянул в глаза.

«Опять наэкстазился, педик чёртов!..» — подумал Ихтеолус и тоже подобострастно ввёл себе МДМА, попадая на это мгновение с Борисычем в столь желаемый тем сейчас резонанс. За такие тонкие вещи Борисыч буквально души не чаял в Ихтеолусе; в конце концов, именно из таких мелочей и складывалась карьера, так что...

Усевшись за рабочий стол, Ихтеолус с отвращением немедленно удалил из себя экстази, он и так уже перебрал сегодня со стимуляторами, надо бы расслабиться, расслабиться, а тут еще эта работа... Он тупо стал перекладывать бумажки, но работа явно не шла, Ихтеолус совершенно никак не мог ни на чём сосредоточиться.

«А!..» — мысленно махнул на всё рукой Ихтеолус, ввёл себе достаточно нормальную дозу героина, полностью снимающую все стимуляторные последствия и одновременно дающую искомый, наплевательский настрой буквально на любое занятие, будь то хоть мытьё полов, и радостно отдался трудовой деятельности, жадно вчитываясь в каждый документ, восторженно отвечая на любой телефонный звонок и с истинным наслаждением читая любой поступающий факс.

И так вот — весело, восторженно, блаженно и абсолютно, в самом наилучшем значении этого слова, безразлично — и прошло всё рабочее время вплоть до самого обеда.

Крякнув, Ихтеолус поднялся, вставая из-за стола, подмигнул зашедшей к ним зачем-то в отдел секретарше Светочке, заметил её укоризненный взгляд, обращённый в его маленькие-маленькие зрачки, тут же втёр себе атропина, прямо на её глазах расширив их, так что они чуть не стали больше его глазных яблок, сконфуженно усмехнулся своей шутке и отправился на обед.

По пути его догнал Дондок, находящийся, очевидно, в степенно-умудрённом состоянии какого-нибудь изощрённого коктейля, на что он был признанным мастаком.

— Куда пойдем? В «Харакири»?

— В «Жопу»,— ответил Ихтеолус.

— Нет...— задумчиво и даже слегка обиженно сказал Дондок.— В «Жопу» я сейчас не хочу... Пошли лучше в «Манду»... Она настроит нас на лад беседы, вдумчивой беседы, и ничто не будет нас от неё отвлекать...

— В «Манде» плохо кормят,— заявил Ихтеолус.

— Да, ты прав, дружище, ты как всегда прав... Тогда давай компромисс, пошли в самый обыкновенный «Ресторан», там и поедим, и выпьем, и побеседуем.

— Пошли,— безучастно согласился Ихтеолус, всё еще кайфуя от употребленного им в рабочее время героина.

В «Ресторане» было людно, играло пианино, сновали туда-сюда обстимулированные официанты. Ихтеолус вывел из себя героин, ввёл небольшую дозу алкоголя в качестве аперитива и предложил Дондоку сделать то же самое, на что тот с радостью согласился.

Принесли заказанную еду, она была изысканна и вкусна.

— Коньячку? — предложил Дондок.

— Я — виски,— сказал Ихтеолус.

Они стали есть и напиваться буквально до свинского состояния.

— Вот что я тебе скажу, приятель,— начал Дондок свой задушевный рассказ.— Я вчера, читая Хун-Цзы, наткнулся на такую фразу: «Никогда лучшему не стать худшим, так же как никогда лучшему не преодолеть худшего, так же как никогда худшему не достичь лучшего, так же как никогда лучшему не постичь худшего». Как ты думаешь, что тут истинно имеется в виду? Мне интересно твоё мнение.

— Я думаю, что,— немедленно откликнулся Ихтеолус, отпивая большой глоток виски и кладя себе в рот маленький кусок пиццы,— лучшее и худшее — вечные коррелята сущего, соперничающие друг с другом и дополняющие сами себя. И в процессе своего сотворчества они и творят всё Бытие, и в этом смысле прав Хун-Цзы, утверждающий, что никогда... и так далее. Но только лишь вырвавшись за пределы любых коррелятов, вообще любой возможности творить как таковой, если мы выйдем, как кто-то сказал, «за», то только тогда мы и постигнем... И...— отпив ещё виски, закончил Ихтеолус,— познаем. Да — и познаем.

— Вечные твои идеи,— произнёс Дондок.— А я вот вчера подумал, что лучшее и худшее — это и есть истинное единство, утверждающее сущий порядок, и в этом смысле и прав Хун-Цзы, утверждающий, что никогда... И так далее. Но выйдя, хотя бы попробовав выйти, как ты сказал, как кто-то сказал, «за», мы никогда не окажемся (опять прав Хун-Цзы!) вовне и где-то в подлинном познании, поскольку сам этот выход, эта попытка, этот прорыв изначально уже будет либо лучшим, либо худшим. А? Каково?..

— Не знаю...— опьянело промолвил Ихтеолус.— Надо поразмышлять.

— Так в чём же дело-то?..— обрадованно проговорил Дондок.— Помедитируем, а? Тем более время уже...

— Давай,— махнул на него рукой Ихтеолус, доканчивая бутылку виски.

Они тут же вывели из своих тел и мозгов все мыслимые и немыслимые вещества и переключились на «нормальное состояние». Закрыв глаза, каждый настроился на что-то своё, и если Ихтеолус пытался запредельно небытийствовать, погружаясь в некую досотворенную абсолютность блаженного Ничто, то Дондок отчаянно сражался с двумя создающими Бытие сторонами, принимая то одну их сторону, то другую и всё более запутываясь в многообразии рождаемых ими форм, сущностей и миров. Наконец, Ихтеолус открыл глаза: «нормальное состояние» ему быстро наскучило. Он пусто огляделся.

— Ааааааамммммм...— громко произнёс Дондок, втягивая свой торс внутрь ресторанного кресла.

— Что, хочешь ещё что-то покушать? — спросил его Ихтеолус.

— Ты что!..— обиженно буркнул Дондок, немедленно раскрывая глаза.— Это же — мой главный медитационный слог, да я же только что...

— Пошли,— сказал Ихтеолус,— мы уже опаздываем.

— Ах ты!..— озабоченно воскликнул Дондок, взглянув на часы.— Придётся...

Они немедленно внедрили в себя по дозе фенамина и домчались до рабочих мест с резвостью чемпионов мира по спринтерскому бегу, которые, возможно, употребляли для своих спортивных нужд то же самое.

Остаток рабочего дня Ихтеолус так и провёл под фенамином. Руки у него слегка подрагивали, когда он подносил к расфокусированным глазам очередной документ, но работоспособность его была просто глобальной, ясность мысли — потрясающей. За эту половину дня он переделал, наверное, работы на неделю вперед и, когда наконец прозвенел мягкий звоночек, возвещающий о конце труда, ошалело стал смотреть на плоды своей деятельности, мучительно соображая, чем же ему теперь заняться завтра, послезавтра и так далее. Ладно, зачем сейчас об этом думать?

Ихтеолус набрал всё еще дрожащими руками вожделенный телефонный номер, услышал мурлыкающий голосок Акулы-Магды и сказал:

— Я кончил.

— Уже? — усмехнувшись на другом конце провода, спросила Акула-Магда.— А я ещё и не начинала.

— Тьфу, ой, извини, заработался... Короче... Встретимся...

— Пошли в церковь,— предложила Акула-Магда.

— В церковь? — изумился Ихтеолус.— Но...

— Начнём с церкви,— непреклонно сказала Акула-Магда.— Я там так давно не была...

— Ну хорошо-хорошо,— обрадовался Ихтеолус слову «начнём»,— тогда встретимся...

— Там и встретимся,— непреклонно проговорила его любимая девушка.— А то ты ещё не пойдёшь.

— Да я... Да ты... Да мы...

— Всё! — отрезала Акула-Магда и повесила трубку.

«Церковь... церковь...— выведя из себя фенамин и введя большую дозу ноотропила с небольшим количеством морфина, размышлял Ихтеолус.— Что же там... Да я там не был... А!.. Ну да».

В назначенное время он переступил порог храма и вошёл. Внутри молились прихожане всех возрастов и полов, стояли свечи. Прямо у алтаря стояла Акула-Магда, её огромные глаза словно пробивали алтарные стены, руки её были молитвенно сложены на кокетливо выступающей вперёд груди.

Акула-Магда была статной брюнеткой с маленьким, почти миниатюрным личиком, слегка вздёрнутым носом и почти идеально-женственной фигурой. Ихтеолус, еле пробившись через толпу молящихся, наконец оказался рядом с ней.

Она была ему под стать.

Она ничего не сказала, только внимательно посмотрела в его глаза, и Ихтеолус, всё поняв в единый миг, тут же инъецировал себе порцию ДМТ, отчего все иконы на церковных стенах зажглись холодным огнём великой божественной энергии, все запульсировало радугами высшей благодати, и Единый Смысл Покаяния, Веры, Любви и Надежды пронизал Ихтеолуса пламенным вихрем Вселенского Смирения, полыхающего над церковным куполом точно ореол или самый величайший Нимб, откуда всё нисходит в этот мир и куда возвращается.

— О...— благодарно молвил Ихтеолус, рухнул на колени и принялся судорожно молиться, видя наяву каждый свой грех словно некоего цветного демона, буквально рассыпающегося на куски под подлинноправедным взором; испытывая истинную причастность и сопричастность Всему, что только есть под Солнцем, и возрадуясь Творению, и бесконечно возлюбив Его.

— Братья и сёстры!!.— прогремел над всеми голос священника.— Господу Богу помолимся! Господи, помилуй!!!

— О...— вновь тихо сказал Ихтеолус, боясь даже взглянуть на священника, настолько он буквально горел и переливался всеми огнями и смыслами божественной мудрости и славы, а на чело его нисходил мягко-синеватый и одновременно перламутровый, какой-то извечно добрый Свет...

— Братья и сёстры!!! — вновь взгремел священник.— Праведники! За праведность нашу помещены мы сюда милостью Господней, так восславим же Господа...

— О...— ничего уже не слыша и не видя, буквально прошептал Ихтеолус и вошёл в Абсолютную Благодать.

— Пошли,— кто-то произнес над ним, это была Акула-Магда, она нащупала его дисплей и внедрила в скорченного у алтаря Ихтеолуса аминазин.— Ты, кажется, увлёкся...

— Что?.. Что?!!.— потерянно молвил он, постепенно приходя в себя. Затем, придя в самого себя и улыбнувшись, он немедленно вывел уже ненужный аминазин, внедрил в свой измученный столь тяжелыми и светлыми переживаниями организм изрядную порцию морфина для отдыха, бодро встал и поцеловал Акулу-Магду в щёчку.

— Спасибо,— сказал ей Ихтеолус.

— Не за что. Я тоже начала увлекаться, но тут тебя увидела... и успела.

— Молодец! — ободряюще проговорил Ихтеолус, влюблённо глядя в её маленькие-маленькие зрачки.

Они вышли из церкви, взявшись за руки.

— Может, отвлечёмся какой-нибудь другой... службой? — спросила Акула-Магда, указывая взглядом на расцвеченный восточный храм, у входа в который сидели блаженствующие монголоиды.

— Не-ет уж, спасибо, это я уже сегодня поимел...

— Да ну? — рассмеялась она.— Тогда пошли потанцуем.

— Вперёд! — согласился Ихтеолус, они сменили морфин на экстази и через некоторое время уже суетились рядом с барной стойкой какого-то вечернего клуба.

— Что ты будешь пить, дорогой?..— спросила Акула-Магда.

— Джин-кокаин.

— Отлично, я тоже.

Играла громкая музыка, состоящая из очень медленных, но абсолютно ритмичных ударов, и каждый из танцующих умудрялся за достаточно долгое время между этими ударами вытворить такие немыслимые и быстрые па, что, в самом деле, все удивлялись всем. Это был самый модный сейчас танец; он назывался «мягкое порно».

— Вперёд!..— скомандовала Акула-Магда, когда они допили свои коктейли; они тут же наэкстазились буквально под завязку и принялись бешено плясать, словно чуть ли не пытаясь выбросить из своих тел навстречу самим же себе все свои желания, мечты, любови и страсти. Это продолжалось почти бесконечно и было как будто отлично.

И затем, морфинно обняв подругу за талию, Ихтеолус, слегка покручивая другой рукой руль, летел в синем ночном небе к своему дому.

— Ты хочешь ужинать, дорогой? — спросила его любимая.

— Да ну его...— утомлённо и счастливо произнёс Ихтеолус.— Я...

— Вот и я так думаю,— рассмеялась она.

Они тут же инъецировали большой запас аминокислот и витаминов, затем добавили сексуальных возбудителей и средней тяжести дозу ЛСД.

— Приди же ко мне!..— встав на постели, совсем как жрица любви, первая женщина, явленная в мире, самая сокровенная любовь на свете, чудо из чудес, призывно произнесла полуобнаженная Акула-Магда.

— Я — твой!!! — воскликнул Ихтеолус, вынырнув из своей одежды и белья, словно душа из телесной оболочки, и ринулся к ней.

— На сколько поставим? — осведомилась Акула-Магда.

— На двадцать две,— почему-то сказал Ихтеолус.

— Хорошо,— согласилась она.

И тогда они сплелись, будто играющие Сатир и Нимфа, как жаждущие друг друга подростки в невинности первого объятья, как преданные супруги на всю жизнь, словно собирающиеся последним и высшим любовным актом исторгнуть из себя смерть. Ихтеолус был первым Мужчиной посреди нерождённой ещё Вселенной, а она была первой Женщиной; они вожделели сами себя, составляя два единственных и главных коррелята, творящих всё; они составляли жизнь и смерть, небеса и землю, лучшее и худшее и были так же абсолютно несовместимы, как и совершенно едины.

И когда их бесчисленные любовные игры достигли своего апогея, когда они перебывали всем тем, что только может вообще быть, сплетённые в вечный клубок своей любви, тогда огромнейший и ужаснейший Оргазм — на целых двадцать две минуты — потряс их великие тела и чистейшие души. И они растворились в нём и замерли, точно остановилось само Время.

Потом они отдыхали, нежно прильнув друг к другу, млея от поступившего в их кровь и мозг героина, предусмотренного дисплейной программой, и передавали из рук в руки зажжённую сигарету с обыкновенным табаком. А зачем что-то ещё, когда и так уже чересчур хорошо?..

— Ну я пошла,— сказала наконец Акула-Магда.— До завтра. Да и время уже...

— Пока, любимая,— нежно промолвил Ихтеолус и поцеловал её во всё ещё горячую от любви щеку.

Она села в свою машину, инъецировала себе немного морфина вместе буквально с каплей метедрина, чтобы не заснуть за рулём, и полетела домой.

А Ихтеолус, у себя дома, умылся, блаженно улыбнулся, выводя из себя все вещества и производя мощную вечернюю прочистку всего организма, лёг в постель и закрыл глаза. Дисплей сам по себе ввёл в него обычную вечернюю дозу нембутала с изрядной долей ЛСД и триптаминов, и Ихтеолус погрузился в свой вечный, каждую ночь повторяющийся сон.

Он лежал один на камнях посреди пустыни — израненный, всеми брошенный и одинокий. Всё тело его гудело, болело, зудело; кровь и гной истекали из него на почву, мозговая жидкость из пробитого черепа сочилась на камень. Душа его трепетала от такой мучительной тоски и заброшенности, что могли бы уничтожить любой радостный солнечный свет, любой свет вообще.

— Ооооо...— застонал Ихтеолус, чувствуя Вечность этого своего состояния и зная, что оно никогда не кончится. Каждая его клеточка чего-то жаждала, и прежде всего жаждала Освобождения. А может быть, смерти?

— Ооооо...— вновь застонал Ихтеолус.— О, придите же ко мне...

И тут, с небес, какие-то ангелы, или гурии, спустились к нему, проливая бальзам на его тело и душу и подхватывая ввысь его дух.

Ихтеолус переставал тотчас же чувствовать хоть что-нибудь, он только ощущал самого себя, всё ещё продолжающего существовать, этих ангелов, или гурий, и огромный, безбрежный Космос, или же Хаос, вокруг них.

Он ждал, он трепетал, он не ощущал ничего. А они несли его ввысь и ввысь, вечно ввысь и ввысь — сквозь этот Космос, или Хаос, в вожделенный, но всё так же вечно недостижимый рай.

Ихтеолус лежал и улыбался во сне, словно ребёнок, которому в жизни ещё всё предстоит.

Завтра должен был наступить новый день.

1998

ДНЕВНИК КЛОНА

СНЫ ЛЕНИВЦА

Запись первая. Явь.

Я живу в моём блистательном мире, подвешенный на своей ветке, среди сверкающих изумрудов листвы вокруг и солнечного блеска надо мной. Листва — моя еда, мой сладостный пир, моё вечное занятие и предназначение, пока я здесь; моя любовь и моя среда. Древо жизни необъемлемо, словно весь мир; небо недосягаемо и недостижимо, поскольку оно находится прямо надо мной и касается меня лаской своего воздуха; а жизнь есть остановленное мгновение, поскольку ничто не может произойти и случиться ни с древом, ни с небом, ни со мной, покуда солнце зажигает свои лучи при каждом моём пробуждении и призывает меня к жизни и вожделенной листве и пока я существую, вися на своей ветке.

И я жую, жую, жую. Идут дожди сквозь солнце, стекающие по мне, летят бабочки с огневым узором крыльев, садящиеся мне на лицо, отдыхая от любви и полёта, наступает влажная сушь и дует ветер, убаюкивающий меня,— я всё так же продолжаю жевать, упиваясь, наслаждаясь своим жеванием и вкусом моей лучшей в мире еды, которой так много вокруг.

И ничего не может измениться, поскольку всё замерло и застыло в этом самом лучшем моём мире; и блаженная вечность обволакивает меня своим мягким теплом в тот самый миг, когда я забываю время.

Иногда я передвигаюсь к центру древа жизни и встречаюсь со своим народом — лучшим из всех, и мы вежливо и дружелюбно здороваемся, почти целуемся и обнимаемся, не в силах скрыть радостных чувств, а потом висим все вместе, стараясь максимально сблизиться и ощутить своё вечное единство, и все жуют, и я жую, и мы превращаемся в истинное жующее и висящее совершенство, созданное из самих себя, и внутренний свет нашего древа согревает наши души и озаряет наш соборный дух. Мир совершенен, и мой народ — тем более. И мы так любим друг друга.

Сегодня я, как всегда, висел и жевал, пребывая в раю этих самых лучших в мире занятий, как вдруг всё вокруг потемнело и начался страшный ливень с диким ветром, раскачивающим меня туда-сюда со страшной силой. Я всё равно жевал, но этот дьявольский ураган был так кошмарен, что иногда целыми пачками стрясывал своим резким порывом листья с ветки прямо буквально у моих губ, когда они нежно хотели их сорвать. Это было достаточно неприятно и неожиданно. Тут вдруг небо — обычно столь дружелюбное и голубое — испещрилось молниеносными разрядами изломанных мгновенных ярких вспышек, одна из которых угодила в соседнее древо. Раздался треск, святую листву обуял огонь. Я впал в какое-то оцепенение и пришёл в себя, когда всё закончилось, и вновь воссияло солнце, и наступила влажная тихая сушь. Я обернулся на соседнее древо — оно было обугленным и страшным: редкие листочки трепетали под мягким ветерком. Мне стало страшно — впервые в жизни.

Значит, наш мир не так совершенен, как я представлял? Что было бы, если бы ужасная вспышка попала в наше древо жизни?..

Я подумал над этим какое-то время, а потом внезапно понял, что этого никогда не могло бы случиться. Ибо я рождён для счастья и пребываю в счастье, а судьба других вещей — их личное дело, их личная судьба. Я всё-таки переволновался, но успокоенный и приободрённый своим выводом после пережитого, я пожевал ещё листьев, которые показались мне особенно вкусны, и погрузился в долгий сладостный сон.

Запись вторая. Сон.

Наступает тьма, обхватывающая меня со всех сторон, давящая, неотвратимая, чужая. Я готов вскрикнуть, но не могу раскрыть рта, хочу уцепиться хоть за что-то и стряхнуть эту темень с себя, расправив плечи, точно бабочка — крылья, но тьма неуязвима, она сжимает меня в комок, в сгусток, в точку. И тут же — словно выплёвывает меня из самого себя, и я уношусь ввысь, как всегда, обращённый лицом вверх.

Я лечу и лечу, набирая такую скорость, что скоро перестаю чувствовать свои очертания. Я словно состою из воздуха или вообще ни из чего не состою. Где я? Что со мной произошло и происходит? Кто я вообще такой?..

Я влетаю в границу тёмного неба и вылетаю за его предел — дальше, дальше, дальше. Разве может быть что-то дальше? Разве может быть что-то ещё? Разве что-то может быть?..

За небом раскрывается безмерный чёрный простор с сияющими точками звёзд, и я лечу в этой бесконечности, непонятно куда, непонятно зачем, не в силах остановиться и не в состоянии хотя бы перестать существовать.

Рядом со мной летит комета, я обращаюсь к ней с вопросом — кто, что, зачем? Но она ослепительна и холодна, в ней нет ответа и нет смысла.

Какой же во всём этом может быть смысл?..

Я лечу мимо звезды, погружаюсь в её радужно-переливающуюся яркую корону, рдею на волнах её всецветных вибраций и вечных перемен, погружаюсь в смазанный калейдоскоп её величия, славы и изначальности, но я ей совсем не нужен; ей не нужен никто; она столь прекрасна, столь ясна и самодостаточна, что трепет любви и ужаса буквально пронзает и сотрясает всю мою душу, совсем как её луч; и тогда я покидаю звезду и лечу дальше в этом холоде и мраке.

Что же я здесь делаю?.. Кто я вообще такой?.. Зачем я здесь оказался?!.

И в миг, когда полное отчаяние овладевает всем моим существом, когда у меня не остаётся больше никакой надежды, я шепчу своими отсутствующими губами, я кричу своей несуществующей гортанью, я молюсь своим уничтоженным сердцем: «Спаси меня, Господи!» и тут же вижу перед собой огромное вселенское древо жизни, сверкающее, как мириады бриллиантов, и родную ветку перед собой, покрытую звёздными листьями.

Я подлетаю к древу и обхватываю ветку словно самое любимое существо, и я чувствую её холод и тепло одновременно, и это тепло обращено ко мне. Я срываю с ветки несколько звёзд, ощущаю их непередаваемый вкус, успокаиваюсь тут же, убаюкиваюсь совсем как ребёнок и начинаю жевать, жевать, жевать...

Запись третья. Явь.

Когда я родился, моя мама была настолько ласковой и нежной, что я сразу понял, что попал в мир счастья, тепла и доброты. Отца я не помню, но уверен, что он был так же прекрасен, как любой из нас.

Но сейчас весна — пора любви, я продолжаю висеть на своей ветке и жевать листья и чувствую себя ещё более окрылённым и счастливым, чем обычно. Оказывается, что даже в раю может быть «очень хорошо», а может быть и «ещё лучше».

Я улыбаюсь солнцу и жизни и буквально готов расцеловать бабочку с огневым узором крыльев, когда она пролетает мимо.

В центре древа жизни собрался наш народ, и я тоже направляюсь туда по своей ветке и трепещу от сладких желаний и ощущения любви.

Я вежливо здороваюсь со всеми, готовый от радости обнять их и прижать к груди, и располагаюсь среди моего народа — лучшего из всех, чтобы вместе чувствовать солнечные лучи, чтобы вместе жевать листья, чтобы вместе радоваться жизненному совершенству, подаренному каждому из нас.

О, как прекрасны наши девушки, как они грациозно висят!.. А как они чарующе жуют!!. А как красивы их лица, обращённые ввысь!!! Как светятся их глаза, когда они обращают свой взор прямо на меня!!!! Неужели я заслуживаю кого-нибудь, неужели я могу понравиться, неужели меня можно полюбить, ведь я — такой обычный, простой, такой же, как все...

И тут, словно ослеплённый, я вижу чудесное создание недалеко от меня, буквально на соседней ветке!

И она смотрит прямо на меня, смотрит, не отрываясь, но глаза её грустны и печальны, и только отражённый солнечный свет заставляет их блестеть и сверкать, как будто бы она счастлива.

Я переползаю на её ветку, располагаюсь рядом и спрашиваю:

— Что с вами? Вам грустно? Но посмотрите, как светит солнце, как всё прекрасно...

— Я вас люблю,— отвечает она мне,— а любовь — это самое грустное и великое чувство из всего, что вообще возможно под солнцем, которое сейчас светит.

Я смотрю ей в глаза, и тут же нечто волшебное и мощное, словно молниеносная вспышка, спалившая соседнее древо жизни, пронзает нас стрелой безмерного и невероятного восхищения, и мы сливаемся в великом и бесконечном поцелуе, затопляющем нас, будто идущий сплошной водяной стеной, искрящийся светом и счастьем, оглушительный ливень любви.

— О, как прекрасна ты, возлюбленная моя!..— шепчу я ей, а она ничего не отвечает мне, только гладит мои щёки и вновь целует и целует меня.

Наконец, я соединяюсь с ней, отдаю ей себя полностью, перестаю существовать, превращаюсь в само солнце, которое сейчас светит, становлюсь древом жизни, становлюсь всем, а она неслышно произносит: «любимый...», и улыбка озаряет её прекраснейший лик, и нимб счастья зажигается над нашими переплетёнными на ветке телами.

Это был великий день любви, который навсегда останется в моей памяти, что бы со мной ни случилось.

Благодарный всему миру я возвращаюсь на свою ветку, жую немного листьев и, усталый и безмерно радостный, погружаюсь в сон.

Запись четвёртая. Сон.

Словно сотканный из воздуха и пустоты, я продолжаю висеть на ветке и жевать. Но некая сила вдруг начинает давить прямо на моё лицо, сдвигая, выпихивая меня куда-то вовне, вбок, назад. Я не в силах противостоять ей; я соскальзываю с ветки и повисаю в воздухе, лишённый древа жизни, лишённый листьев, лишённый всего.

И тут меня словно берут снизу за спину и резким движением разворачивают... лицом к Земле. Я не в силах этого выдержать, этой противоестественной позы, этого ужасного положения, но не могу ничего сделать, потому что словно соткан из воздуха или пустоты. Мерзкая сила подбрасывает меня вверх, словно издеваясь, заставляет лететь куда-то вдаль, в неизведанные мною пространства, а я вынужден смотреть, как внизу подо мной проносится огромная мировая плоскость, на которой происходит буквально всё что угодно, и всё это я могу воспринять, почувствовать и увидеть, и всё это я должен вобрать в свою душу.

Я вижу проносящиеся равнины, горы, леса, поля, океаны, моря, озёра и реки; я вижу бесчисленные множества народов, живущих везде, буквально кишащих в каждой точке этой великой мировой плоскости, которая нескончаема, и мне становится по-настоящему жутко, и безмерный ужас охватывает мой опечаленный дух.

Что они делают, что же они все — буквально все — делают?!.

Они постоянно дерутся для того, чтобы съесть друг друга — либо таких же, как они, либо любых других. Я ощущаю их стоны, их муки, их предсмертные агонии — всё в конце концов сливается в один большой кошмарный стон всеобщей скорби. Как я могу им помочь?

Но, кажется, они не хотят, чтобы им помогали. Очевидно, они неразумны; я вижу огромное количество древ жизни с бесчисленными множествами листьев, а они, вместо того чтобы жить, любить и радоваться, заняты только поеданием самих себя.

Но сколько же их!.. Воистину, мир безмерен. Я это всегда предполагал — но что бы он был столь кошмарен, этого мне даже и присниться не могло.

Любые формы и интеллекты, любые души и тела, самые разные ступени развития, самые любые настроения и чувства, и только одна цель — съесть. Съесть любимую, съесть мать, полностью уничтожить и съесть всех существ другого народа, съесть кого угодно.

О, Господи, я не могу этого выносить! Ты оставил меня! Спаси меня! Спаси!!.

И в этот миг моего отчаянья и последней надежды, в это мгновение крика скорби из моей воздушной груди я увидел сверху своё великое древо жизни и свою ветку, с которой меня так безжалостно содрала неизвестная мне сила познания. Я начинаю снижаться, сила отпускает меня; я, наконец, переворачиваюсь, с облегчением и неописуемым счастьем вновь вижу солнце и небо перед своим взором и вновь оказываюсь на родной ветке, где так много изумрудных листьев и где царят покой, радость и любовь. Какое-то время я тупо и остолбенело смотрю вверх и вперёд, но потом успокаиваюсь, понимая, что всё кончилось, что я — в своей реальности и она никуда от меня не уйдёт, и ничто не может измениться, пока есть древо жизни, солнце и листья; успокаиваюсь и тут же начинаю жевать, жевать, жевать.

Запись пятая. Явь.

Происходит что-то совершенно невозможное — древо жизни оскудевает!.. Мой вечный дом от самого рождения, моя колыбель, мой живительный родник постепенно становится голым и старым, какими в конце концов становимся и мы, когда доживаем свою блистательную и полную удивительных приключений жизнь до самого конца.

Всё больше и больше моих сородичей перелезают на другие древа, придётся, в конце концов, это сделать и мне, но я этого так боюсь и так не хочу!.. Я никогда раньше этого не делал; меня страшит переход, меня пугают новые миры, заключённые в иных древах жизни.

Я дожёвываю последние листья, перелезаю с ветки на ветку — почти не осталось ничего и почти не осталось никого!

Как же это так?.. Мой мир рушится, мой рай заканчивается, мой народ иссякает и пропадает в изумрудных кронах неведомых мне других реальностей.

Когда я остался совсем один, я увидел последний листок, грустно сияющий в центре моего древа, где прошла вся моя восхитительная жизнь. Я двигаюсь туда и замираю над ним как над единственной нитью, связывающей меня с моим родным домом. И тут же съедаю его.

Делать нечего — я ползу вниз. Как ужасен, оказывается, может быть прекрасный и совершенный мир, в котором мы появились, чтобы жить! Как тягостно и грустно в нём иногда бывает!

На земле я совсем потерялся. Я слышу какие-то шорохи, что-то мелькает перед моими глазами, что-то прыгает, что-то ползёт. Неужели здесь кто-то может обитать?!.

Я вижу огромное, полное изумрудной листвы древо жизни, но до него нужно ещё доползти.

И я ползу, ползу, ползу. Путаюсь в каких-то травах, переступаю через чьи-то норы, огибаю ямы и огромные коряги. Как неудобно! Как я вновь хочу взглянуть в небо и увидеть солнце и чтобы не надо было никуда ползти.

Нет, наверное, я переоценил совершенство этого мира. Он слишком беспокоен для меня. То какая-нибудь молниеносная вспышка, то теперь приходится куда-то ползти. Мир несовершенен, но он может стать совершенным, если в нём будут никогда не увядающее древо жизни и я, вечно висящий на его ветке.

И так я полз, полз и полз и уже потерял чувство времени. Я чувствовал, что эта земля подо мной и это жуткое ползанье никогда не кончатся. И когда я уже вконец отчаялся, я прямо лицом уткнулся в вожделенный ствол. Слава Богу!

Лезть было намного легче и намного приятнее, чем ползти, и вскоре я уже висел на ветке, отдыхая и наслаждаясь обилием листьев этого нового древа жизни, на которое уже успели забраться и некоторые мои сородичи, что меня несказанно обрадовало.

Я вволю наелся наивкуснейших листьев и погрузился в сладкий сон.

Запись шестая. Сон.

Я смотрю в небо, я смотрю прямо в сияние солнца надо мной. Я воспаряю вверх — мягко, победительно и неотвратимо. Свет солнца затопляет меня. Свет затопляет меня.

Я перехожу в свет, я становлюсь светом, я весь пронизан светом и любовью, словно святым духом, снизошедшим прямо в мою плоть.

И тут Кто-то возникает надо мной, Кто-то великий и безмерный, по чьему образу и подобию я был сотворён.

— Восстань и приди! — звучит в каждой частице моей души его клич и призыв. Я падаю ниц, я словно сгораю под Его лучами, а над ним сверкает Абсолютный Несотворённый Свет.

— Кто я?! — умоляюще вопрошаю я.— Как моё имя? Какова моя цель?! В чём мой смысл?

И этот голос славы и торжества отвечает мне, словно пронзая мой дух своим лучом.

— Тебя зовут — Унау, а значит, ты — уникален, ты — высшее из тварей, Мною созданных, ты — венец творения! Твоя жизнь восхитительна, твоя смерть прекрасна, твоё бессмертие заключено во Мне и надо Мной!

И, получив ответ, я словно рассыпаюсь на множество мелких солнц и объемлю самим собой всю Вселенную.

Запись седьмая. Явь.

Я просыпаюсь в моём блистательном мире, подвешенный на своей ветке, среди сверкающих изумрудов листвы вокруг и солнечного блеска надо мной. Моя жизнь прекрасна, моё древо жизни необъемлемо, словно Вселенная, моя любовь безгранична, мой мир совершенен. Я жую листья и чувствую себя абсолютно счастливым, как только может быть счастливо живое существо, и я знаю свою цель и свой смысл.

И когда ко мне приближается особь другого народа, я дружелюбно улыбаюсь ей и приглашаю её на свою ветку, чтобы она разделила со мной пир листьев и счастье жизни. Она медленно влезает на древо, осторожно ползёт вверх по стволу, хватаясь за ветви, и смотрит на меня снизу своими умными, участливыми глазами. И когда она забирается совсем близко ко мне и к моему миру вокруг, она достаёт какой-то поблёскивающий на солнечном свете предмет и неожиданно втыкает мне его в грудь.

Боль!.. Жуткая боль!!. Ужасная, нестерпимая, непереносимая боль!!! Я задыхаюсь, я умираю.

Что ж, я был слишком счастлив для этого мира. Очевидно, я его недостоин. Или же он недостоин меня.

Я начинаю дёргаться, хрипеть, исходить судорогами в агонии, пока, наконец, сознание не оставляет тела, блаженно висящего на ветке, а я покидаю его и погружаюсь в мой последний — в мой самый сладостный, самый желанный, самый великий и бесконечный сон: я вхожу в Абсолютный Несотворённый Свет.

Записи сеансов мыслительной деятельности двупалого ленивца — унау (Choloepus dydactylus), осуществлённые от момента его обнаружения до умерщвления, были произведены в естественных условиях, в джунглях Северной Бразилии, методом направленного радиосканирования больших полушарий головного мозга млекопитающего с последующей обработкой информации и переложением её на общечеловеческий психоязык. Проект осуществлялся по поручению и с одобрения Министерства Общей Зоологии Институтом Зоопсихологии им. Вайнштейна-Гну (Сандоз-Сити, проспект Бабуинов, 18), руководитель проекта — заведующий кафедрой лингвистического зооанализа профессор К.А.Кедров.

1999

ДНЕВНИК КЛОНА

Фрагменты дневника, найденного в архиве Центральных Подземелий после их взятия доблестной Армией Всенародной Борьбы за Физиологическое Единство, опубликованы впервые в журнале «Я и Я» за январь 22-го года Новейшей Эры, выходящем повсеместно во всех мирах и территориях, подвластных Единому Двуликому Богу и его Дочери. Текст подготовили Николаев и Терешков. Цензор Дж.Дж.Яев.

1

Я сижу в своей комнате, в которой провёл всю жизнь, и одиноко, грустно, весело, радостно и безразлично смотрю прямо в центр моей белой стены передо мной, рождающей во мне любые цвета, образы и ощущения. Я не знаю, кто я, я не помню, сколько мне лет, я не знаю своего имени, своей цели, своего рождения и своей смерти; у меня нет даже номера, у меня нет ничего, но у меня есть «я», одно лишь это изначальное чувство, и, может быть, в этом и заключено моё преимущество, и именно тут сокрыты моё счастье и моё предназначение.

Сегодня мне разрешили вести дневник, правда, не на моем родном компьютере, откуда я с детства черпаю все свои знания и представления обо всем, а древнейшим и странным способом: на так называемой «пишущей машинке», причём в одном экземпляре. Мне это не совсем понятно, однако врач сегодня принёс её в мою комнату, показал, как она функционирует, и ушёл, пожелав удачи, запретив также строго-настрого пользоваться для излива моих мыслей и чувств компьютером, что у меня и так никогда бы не получилось, ибо он заблокирован, закрыт для моего выхода в мир,— я могу лишь только получать с него информацию, и то строго дозированную.

Почему это так? Почему?? Почему? Ответь мне, моя белая стена. Ответь мне, пустой экран. Наверное, истина внутри меня, и смысл слов заключён в... Нет, мне нельзя слишком сильно волноваться или на следующей медпроцедуре они меня так успокоят, что долгие дни после этого я буду пребывать в состоянии дебильной, даунно-олигофренической весёлости, чего я сейчас почему-то совсем не хочу. Поэтому я пошёл спать.

5

Сегодня я сосредоточился, надел виртуальный шлем, браслеты, очки и штаны, подключился к обычной системе и попытался выйти в другие программы, чтобы хотя бы расширить свои знания об окружающем, которых в общем-то у меня нет, кроме самых общих: что мы живём в самом блистательном из блистательных государств по имени «Земля», что правительство нас кормит и лечит и что в конце концов мы умрём. Опять-таки, кроме себя и врачей, я никаких других себе подобных так и не видел. Зачем же их прячут? Или нам нельзя общаться? Но я же знаю слова, могу говорить, слушать, видеть, нюхать, осязать. Может быть, мы погибнем при соприкосновении или даже при простом лицезрении друг друга, а наши врачи — это вообще совсем другие существа? Не знаю, опять не знаю. Попытка выйти в другую программу закончилась столкновением со сложным кодовым заслоном, который трудно разгадать, но я всё же попытаюсь — ведь у меня ограниченный одной лишь смертью запас времени и полное отсутствие любых занятий, кроме медпроцедур и физзарядки, которая мне надоела, но за чётким выполнением которой они тщательно следят по своим датчикам.

12

Упорнейше пытаюсь сломать заслон. Гениальный шифр! Но я тоже, как я считаю (или же кто-то мне это сказал?), не пальцем сделан. Вперёд!

34

О, какой день!.. Я... Я сломал этот заслон!.. Великое чувство какой-то... не могу подобрать нужного слова... свободы, что ли, охватило меня, и я готов погрузиться в водоворот информации, которую от меня скрывали. Или же её нет?.. Сейчас узнаю. Сейчас я всё узнаю: кто я, откуда я, куда я иду, и зачем, и почему. И вверх, и вниз — я сейчас весел, как после успокоительной процедуры, но мудр, как после осмыслительной. Итак?!

35

Долго не решался, не хотел, не мог ничего написать. Только сегодня удалось как-то собраться с мыслями, силами, настроениями и чувствами. Итак, я выяснил, кто я, что я, зачем и куда. Это грандиозно и кошмарно.

Я — клон, то есть точная копия такого же меня, который живёт во внешнем мире. Я —

половинка, я — часть, я — дробь, но я же и целое; всё, что есть у него (меня), есть и у меня (него), только я — здесь, а он — там.

Попытаюсь, хотя бы сумбурно, записать здесь то, что я узнал.

Клонирование было впервые осуществлено в конце двадцатого века... Некий доктор клонировал какую-то овцу, и принцип стал понятен. Клонирование людей сперва запретили, но подпольно оно вскоре было произведено, а затем и официально. Сперва клонирование было осуществимо только внедрением взятого у младенца ДНК в другую женщину, но затем научились производить клонов в пробирках, так что каждый человек мог получить своё «второе я», которое было его младше на девять месяцев. После жуткого мора, вызванного каким-то разработанным военными вирусом, население планеты резко сократилось, умерли негры, евреи, монголоидная раса — почти вся... И остались одни беловолосые блондины с голубыми глазами. Вирус в конце концов был побеждён, но тут произошло резкое смещение земной оси, вызванное перегруженностью мира добытыми и сконцентрированными в определённых местах Земли тяжёлыми металлами. Вследствие этого пригодными для жизни остались лишь южная половина Северной Америки и северная часть Британских островов. Люди объединились в одно государство — самое блистательное из блистательных... Но их оставалось очень мало. Тут вспомнили про клонирование... Вначале клонов производили в любых количествах (не меньше одного на каждую семью) и рассылали в разные географические точки, так, чтобы они по возможности никогда не могли бы встретиться. Но это была чисто утопическая идея. Человек вырастал один, понимал, что он — клон, пытался найти самого себя первого, свою семью и так далее... Случались неприятные встречи, убийства, которые всё труднее и труднее было раскрыть, ибо зачастую сами родители, поняв, что вместо их любимого сына живёт и действует его клон, убивший того, кого они произвели на свет естественно-половым путём, и незаметно занявший его место, не желали его выдать, боясь потерять хотя бы этого клона. А какая разница, в конце концов?.. Ведь клон и есть он. Часто женщины, недовольные своим браком, разыскивали клонов своих мужей и либо убегали к ним, либо опять-таки, что случалось гораздо чаще, убивали природнорождённых (их стали называть «натуралы») и припеваючи жили с клонами. Особо ретивые так делали неоднократно, если клонов хватало. Мужчины ни в чём им не уступали, в результате создание новых семей стало большой проблемой, так как никто этого не хотел и каждый дико за себя боялся, поскольку клонов имели все. Иногда, впрочем, клоны подруживались и создавали целые коммуны. Имели место и случаи любви к своим клонам, часто обоюдной. Короче, наступил полный бардак и дурдом. Чаша всеобщего маразма была переполнена, когда вследствие скрытого правительственного заговора кучка высокопоставленных врачей поменяла Президента на его клона. Заговор был раскрыт наблюдательным личным секретарём, обратившим внимание на странные провалы памяти у Президента и его грубые ошибки в биохимии, чего просто не могло быть, так как все знали, что Президент — золотой медалист Университета Народных Отношений. Загвоздка всей ситуации осложнялась ещё и тем, что тогда нельзя было определить никаким анализом, кто клон, а кто — нет. Этим, кстати, и пользовались раскрытые клоны, когда им не удавалось сразу убить своего первого «я», и их неудачный налёт превращался в бесконечную драку с самим собой. Иногда приходилось кидать жребий. Но тут группа врачей под руководством Соколова и Микитова нашла, наконец, некий способ чёткого распознания кто есть кто. Наступила так называемая Эра Анализов. Было поголовно проверено все население обитаемой Земли. Выявленных при этом клонов хватали и сажали в специальные тюрьмы, реорганизованные затем в резервации, несмотря ни на какие протесты их близких — «натуралов». Порядок временно наступил, но всё общество превратилось в один большой концлагерь, в котором одни сидели пожизненный срок, а другие их пожизненно охраняли. Конечно, это не могло понравиться клонам, и вскоре разразилась война. Война, в которой никто ничего не понимал, где каждый пытался доказать, что он — «натурал» либо, наоборот, клон, где каждый пытался убить другого самого себя и остаться в единственном числе, и всё в таком духе. Высокопоставленные врачи, заблокировавшись в своём спецбункере и отгородившись от жуткой непонятной бойни, конца которой не было видно, опять, в результате длительных опытов, нашли средство. Научная группа под руководством Джейн Пепси и Рональда Кола придумала яд, убивающий только клонов. Этим ядом отравили воду по всей стране; клоны начали немедленно умирать. В результате умерли половина членов правительства и несколько высокопоставленных врачей. Президент, который был в курсе этого проекта, остался жив. На долгие годы наступили кошмар и разруха, трупный запах объял всю Землю. Потом, через много времён, когда пришло относительное спокойствие и все ужасы были подзабыты, человечество вновь вернулось к клонированию. Но, памятуя прежние ошибки, решили производить клонов только для трансплантации органов. Ты живешь, живешь, у тебя печень пришла в полную негодность — а вот тебе клоновская, твоя же, но новая. И так со всем. Для этого клонов вводили в состояние полной комы либо одебиливали, чтобы они ничего не соображали и не представляли бы никакой опасности. Но потом было замечено, что развитие остального организма при полном идиотизме или коме происходит замедленно и плохо и это влияет на столь нужные «натуралам» сердце, почки, печень, селезёнку и так далее. Тогда... Тут я, наконец, подхожу к тайне самого себя... Тогда было решено вырастить клонов в закрытых подземельях, совершенно в нормальном, адекватном состоянии, но так, чтобы они никогда не смогли проникнуть за стены своей комнаты и врачебного кабинета; изолировать их друг от друга, дать им минимум информации о мире и о себе, постоянно производить над ними медпроцедуры, следя за здоровьем, ну а когда понадобится — использовать по назначению. Это, наконец, устроило всех, и наступила Эра Всеобщего Процветания. Более того, скоро это стало настолько засекречено, что «натуралы» перестали даже догадываться, что у них где-то есть их клоны. Итак: ни они ничего не знают, ни мы ничего не знаем, всё хорошо, всё спокойно. И когда, например, моя почка понадобится ему (мне), я не пойму, зачем мне её вырезали, а он не задумается, откуда она, собственно, взялась. Вот так, оказывается, обстоят дела.

Изложив всё это на печатной машинке, я ещё раз это прочувствовал и пережил, и теперь устало иду спать, пока не зная, что мне делать дальше. Очевидно, я навсегда потерял душевный покой, что, конечно же, будет заметно на медпроцедуре. Лучше бы я не вскрывал этот гениальный компьютерный шифр!.. Лучше бы я, наверное, не рождался. Точнее, лучше бы меня (его) не клонировали!

36

Два дня ничего не делал, только лежал и думал. Я не хотел ничего есть, но пришлось, так как отсутствие у меня аппетита было бы подозрительным. Но я до сих пор пребываю в состоянии полной опустошённости, ужаса, прострации. Я — всего лишь склад новых органов для другого, первого меня. Неужели это справедливо?.. Если нет, то как я смогу дальше жить? Если да, то я этого не понимаю. Может быть, полная история человечества даст мне ответ?.. Я решил получить максимальную информацию обо всём, абсолютно обо всём, и тогда уже сделать окончательные выводы.

44

Все эти дни я был погружён в историю древних обществ, в их взгляды на мир. Они в каждом предмете и в себе самом видели Божественное. Я не знаю, что такое Бог, но, может быть, когда-нибудь пойму. Однако информация действует. Весь сегодняшний день ходил по комнате, разговаривая с вещами, с пищей, которую вкушал, отдавая её часть великим духам, и с моим главным идолом — белой стеной напротив меня. Я и раньше с ней общался, только не понимал, что она такое. Всё это меня слегка забавляло, однако мне было трудно понять истинные воззрения древних без знания окружающей их природы, которую я никогда не видел и не увижу. Пришлось заглянуть в современную науку и проштудировать курс общего природоведения, включающий биологию, химию, физику и прочие естественные науки. Само собой, я пользовался ускоренным гипнокурсом — иначе как я успею? Но всё это я изучаю только для того, чтобы уразуметь, как именно люди в разные времена понимали смысл своего бытия, это для меня важнее всего. Мне глубоко безразличен, например, просто сам голый факт, что материя состоит из атомов. Для меня в моём положении намного существенней, в чём эти атомы видят смысл своего существования, почему они вообще существуют, в чём их цель, и всё в таком духе. Жизнеспособоность древних, по-моему, строилась на многообразии жизненных форм и постоянных природных переменах. Я этого лишён; уже через три дня мне наскучили мои не столь многочисленные предметы, окружающие меня всю жизнь. Пойдём дальше, возможно, я найду ответ. И что такое Бог?

56

Философия, которую я вкратце прошёл гипнокурсом, словно расчищает захламлённое всевозможными неграмотными рефлексиями пространство перед некоей дверью, но открыть эту дверь не решается и боится. Или не может. Она, как и наука, великий инструмент познания мира, но в моём положении у меня есть только один выход — вперёд, в эту самую дверь!!

67

Искусство... Я бы сказал, что искусство, пользуясь одним из сленговых, довольно, однако, точных выражений, это просто кайф. Буду воспринимать его постоянно, что же мне ещё остаётся? Кроме того, в своих высших проявлениях в нём заключены, как составляющие его материалы, и столь необходимые мне философия и религия. Однако для полноценного восприятия и создания искусства нужно уже иметь и свою истину, и свою цель, и свой смысл, и своего Бога. Пока что я к этому только стремлюсь, поэтому искусство как создание чего-то ещё нового к уже тобой обретённому и существующему в своём совершенном облике мне пока недоступно. И вообще, оно мне кажется каким-то странным по своей сути. Ведь, например, вдруг окажется, что моя бытность здесь, а его-меня существование там — это тоже какое-то произведение некоего сумасшедшего художника, кем мне тогда себя ощущать? Или всё вообще — творение искусства, произведённое Богом?

От этих идей у меня холодеют ноги.

73

Религия обещает всё, буквально всё, и даже сверх этого. Религия — это и есть связь с Богом. Займусь ею вплотную.

85

Я знаю, как зовут Бога, но это нельзя упоминать всуе. Да, всё замечательно, просто чудесно, однако я никак не могу быть евреем, поскольку все евреи вымерли во времена страшного вируса, так что мне это, увы, не подходит. А жаль.

94

Я сидел сегодня перед своей белой стеной, смотрел в её центр, глубоко и медленно дыша, задерживая дыхание, распространяя всю энергию вовне, внутрь, вверх, куда угодно, и... Это произошло! Я вошёл в нирвану. Я не знаю, стал ли я Буддой, но надеюсь, что приблизился к боддхисатвам. Великое блаженство охватило меня, сладостное Божественное Ничто поглотило меня, мои члены испытали воздушную негу и чарующий восторг, и я воистину перестал быть и слился со всем миром, с самим собой — и здесь и там — и стал, наконец, Всем и Ничем одновременно... О, белая стена! О, я! Тат твам аси! Мне кажется, я обрел своего Атмана, а значит, и смысл.

106

Продолжаю медитировать. Кришнаизм любопытен тем, что он вновь привносит раз и навсегда отвергнутую буддизмом оппозицию. Правильно: творение не может быть создано только из себя. Любая религия невозможна без оппозиции, в этом смысле буддизм — вовсе не религия, а просто психотехника. Психотехник, вообще, было дикое множество, особенно в более поздние времена. Вещь, несомненно, нужная, буду иногда прибегать к ней в минуты грусти и усталости, но, конечно же, я изначально хотел видеть в буддизме совершенно другое. А кришнаизм... Кришнаизм... Ха-ха-ха... Ну что еще можно сказать?

117

Христианство... Христианство — это... Это... Это... Господи, Боже мой! Помилуй мя, грешного!

123

Сегодня всю ночь стоял на коленях и молился. Я понял свой смысл, своё предназначение, свою цель. Великая суть самопожертвования охватила меня, я плакал и бил поклоны. На заре вся моя комната осветилась небесным светом, моя белая стена просто горела Божественным огнём, и тут она как будто раскрылась, словно некий занавес, и Христос с Девой Марией под ручку явился ко мне и изрёк: «Войди в Мое Царствие не от мира сего!» И благодать осенила меня, я был истинно счастлив. Я хочу войти, впусти меня, Боже, в твоё царствие не от мира сего, я тоже нахожусь не в том мире, и моё существование не от мира, мне нужно креститься, я должен быть крещён, где священник, где вода, святая вода, где хоть один крещёный, который бы меня крестил, я ведь тоже не от мира, я изначально с Тобой, со всеми вами, но я не могу быть крещён никогда, никогда, никогда... Никогда? Тьфу, что за чёрт!.. Чёрт?.. Он ко мне, увы, не имеет отношения, ему нечего мне предложить.

Вот такие бессвязные настроения овладели мной в эту ночь. Что же мне делать? Что?!.

124

Мне всё надоело, и дневник тоже. Возвращаюсь, однако, а то скучно. Вся моя проблема заключалась в том, что я упёрся в эти высокие идеи и переживания, а надо было просто жить, наслаждаться, любить... Любить, вот именно, любить! Что я знаю об этом? Я решил заняться любовью.

135

Женщины — поразительные создания. Я долго изучал их строение в любых конфигурациях, разнообразные лики, облики, лица... Их физиологическое отличие от мужчин, к которым я, кстати, как выяснилось, принадлежу, мне показалось забавным, психологического я не понял. Между прочим, где моё сексуальное начало? Никогда я его не ощущал биологически. Очевидно, его мне как-то убирают на медпроцедурах или как-то меня разряжают, что, в общем, хорошо, а то бы я уже давно лез на свою белую стенку. Я составил портрет желаемой мной женщины и тут же в неё влюбился. И я решил писать ей стихи. Любовные послания, которые она никогда не прочтет, поскольку не существует. Впрочем, какая разница?

144

Написал венок сонетов и небольшую поэму. Для этого пришлось изучить гипнокурсом основы стихосложения и поэтическое творчество разных народов. Приступаю к новому произведению, которое напишу и в стихах и в прозе. Это будет нечто! Жаль, что никто его никогда не прочитает.

156

Все, конец — меня засекли! Врачи, оказывается, что-то подозревали и поймали мой вход в запретный для меня компьютерный файл Уильяма Блэйка. Трое из них пришли в мою комнату, чего никогда не бывало, всячески меня просканировали, подключившись к моим компьютерным входам, сняли копию моего дневника для изучения и ушли, сказав, что им нужно посовещаться, а потом они возьмут меня на медпроцедуру. Они выглядели очень растерянными и даже какими-то испуганными. Но главное — они забрали мои стихи и начатое мною большое произведение обо всём! Это настоящая трагедия. Дали хотя бы закончить. Но я не испытываю никакого отчаяния, я не испытываю ничего, кроме тихой, спокойной радости, ибо всё когда-нибудь кончается в этом лучшем из миров, и этот конец всегда очевиден и обязательно наступит; и поэтому я готов ко всему, абсолютно ко всему, ибо именно сейчас я понял то, что так хотел постичь, я знаю смысл, я знаю истину. Она... Она вот в этом мгновении, в этих словах здесь, сейчас, когда я это пишу, и она заключается в одной простой фразе, лежащей в основе всего остального: Я ЕСТЬ.

157

Я был на медпроцедуре, всё происходило очень странно. Один из врачей, держа в руках мои стихи, вдруг спросил, обращаясь ко мне: «Это действительно вы написали?» Я кивнул и даже улыбнулся — а кто же ещё? Он начал показывать их другому врачу, даже зачитывать некоторые строчки, на что тот совершенно серьёзно сказал: «Хватит, я вижу, что это гениально». Тут третий врач, помоложе, вдруг сказал: «А вообще — что ему известно?» И врач, у которого были стихи, вдруг сделался как будто печальным и тихо сказал: «Всё». После этого они провели мне обычную оздоровительную терапию, отдали все стихи и отвели в мою комнату, объявив, что отныне я могу безбоязненно получать любую информацию, хотя самому проявляться в компьютерной сети мне запрещено; и пусть я продолжаю работать над своим большим творением, которое их очень заинтересовало, как и мой дневник. Ничего не понимаю.

167

Вовсю работаю над главным трудом моей жизни. Ура! Сейчас не возникает никаких дурацких вопросов о цели, смысле и в таком духе. Я испытываю... как это... кайф!

173

Я его закончил! Закончил! Этот миг не сравнится ни с чем. Врачи отсняли копию и удалились читать. Кажется, им нравится моё творчество, поскольку, когда они вели меня на очередную процедуру, они смотрели на меня с каким-то пристыженным уважением или почитанием, как нашкодивший маленький ребёнок на строгого отца. Впрочем, какая мне разница?

199 *(последняя запись)*

Вот и всё. Сегодня явились врачи, наверное, все врачи, которые заняты в моём участке Подземелий для Клонов, такого количества я ещё никогда не видел в своей жизни... И самый почтенный седовласый врач вышел вперёд и заявил, что ему очень жаль, и так далее, и тому подобное, что они даже обращались с ходатайством лично к Президенту, но тот не разрешил, чтобы не был создан прецедент, и правильно, с моей точки зрения, не разрешил и завтра они должны меня убить, а мои органы — почти все — пересадить другому мне, то есть ему. Он ещё сказал, что я — несомненный гений, и всё, что я написал, обязательно будет опубликовано, правда, не так, что это именно я — клон — написал, поскольку официально у нас клонов нет, а как я-он, то есть тот я, или он, который там, в мире. Он, наверное, раз двадцать повторил, как ему это жаль и что он, увы, ничего сделать не может. Тогда я спросил, мол, одну всё-таки тайну хотя бы сейчас вы могли бы мне открыть: если я такой гений и стал таковым здесь, то кто же он — моё второе я, моя счастливая копия, кому повезло намного больше и у кого столько возможностей для самораскрытия, которые мне бы и не пригрезились? Тут он выругался, даже, по-моему, плюнул, и сказал, что он не делал совершенно ничего всю свою жизнь, а только злоупотреблял спиртными напитками и некоторыми официально запрещёнными лекарственными препаратами и поэтому буквально все его внутренние органы пришли в полную негодность, а стало быть, понадобились мои. Он опять повторил, что ему очень жаль. Он сказал, что если бы что-то зависело лично от него, он бы прибил этого сукина сына — его (меня), а мне бы предоставил буквально всё, что только в состоянии дать жизнь. И тут все врачи расступились, и вперёд, ко мне, вышел какой-то врач, полностью закутанный в некий балахон, даже лица было не видно. Он подошёл ко мне, и тут балахон раскрылся. И я увидел... Я увидел... Я увидел, что это — женщина, настоящая, живая женщина во плоти, почти с таким же ликом, какой я нарисовал в своём воображении. Она была совершенно обнажённой под своим одеянием. Она подошла ко мне, поцеловала меня в губы и тут же ушла. «Извини,— сказал седой врач.— Это всё, что мы можем для тебя сделать». Они ещё раз внимательно на меня посмотрели и тоже все удалились, оставив меня одного в этот мой последний вечер.

Итак, он никем не стал? Ничего не создал? Просто спился, так и не осознав самого себя? Ладно, я дам тебе второй шанс. Я помогу тебе. Я не испытываю сейчас никаких эмоций, никаких страданий, ничего, ничего, ничего. Я не зря прожил свою жизнь. Когда мои произведения будут напечатаны под его именем, когда его признают, это вдохнёт в него новую цель. Он станет гением, ибо он уже гений. Просто ему не повезло. Просто так сложилось. Но всё всегда можно изменить, и это пробудит его! Это даст ему силы! Он поймёт! Он всё поймёт!!! Он поймёт всё.

И я улыбаюсь и предвкушаю его величие, признание, любовь, славу. В этом и заключается смысл: ведь, в конце концов, он — это и есть я.

1999

Егор Радов

РАССКАЗЫ ПРО ВСЁ

Набор *Л. Пинигиной*
Вёрстка *С. Розова*
Корректор *Г. Заславская*
Художник *А. Бондаренко*

Издательство «Пятая страна»
103001, Москва, Б. Садовая ул., 4, стр. 1
Тел./факс: 299–3009

Лицензия ИД № 00097 от 27.08.99.

Информация о наших книгах в сети:
www.russ.ru.

Сдано в набор 15.01.00. Подписано в печать 14.03.00.
Печать офсетная. Бумага офсетная. Формат 70×100/32.
Тираж 3000 экз. Заказ № 644.

Отпечатано с диапозитивов в ГПП «Печатный Двор»
Министерства РФ по делам печати, телерадиовещания
и средств массовых коммуникаций.
197110, Санкт-Петербург, Чкаловский пр., 15.

Розничная продажа:
магазин «Гилея», г. Москва, Б. Садовая ул, 4, стр. 1.
Тел./факс (095) 299–3009.
www.glasnet.ru\~gileia

Распространение на территории России:
ООО «Ретро», г. Санкт-Петербург, ул. Корнеева, 6.
Тел.: (812) 567–5054, (812) 325–1938.
Тел. в Москве: (095) 178–4778, (095) 177–8316

Распространение на территории США и Канады:
Petropol, Inc.
1428 Beacon str.,
Brookline, MA 02446.
Tel.: (617) 232–8820, (800) 404–5396.
Fax: (617) 713–0418

Интернет-магазин:
www.petropol.com